Mãe judia, 1964

VOZES DO GOLPE

Mãe judia, 1964

MOACYR SCLIAR

COMPANHIA DAS LETRAS

Copyright © 2004 by Moacyr Scliar

PROJETO GRÁFICO E CAPA Raul Loureiro
FOTO DE CAPA Jerzy Kolacz / Getty Images
REVISÃO Isabel Jorge Cury e Carmen S. da Costa

*Os personagens e as situações desta obra são reais apenas
no universo da ficção; não se referem a pessoas e fatos concretos
e sobre eles não emitem opinião.*

Dados Internacionais de Catalogação na Publicação (CIP)
(Câmara Brasileira do Livro, SP, Brasil)

Scliar, Moacyr
Mãe judia, 1964 / Moacyr Scliar. — São Paulo : Companhia das
Letras, 2004.

ISBN 85-359-0475-1 (obra completa)
ISBN 85-359-0473-5

1. Conto brasileiro 1. Título.

04-0985   CDD-869.93

Índice para catálogo sistemático:
1. Conto : Literatura brasileira 869.93

[2004]
Todos os direitos desta edição reservados à
EDITORA SCHWARCZ LTDA.
Rua Bandeira Paulista 702 cj. 32
04532-002 — São Paulo — SP
Telefone: (11) 3707-3500
Fax: (11) 3707-3501
www.companhiadasletras.com.br

CONTO

1964 começou mal. Acordei tarde, naquele
1º de janeiro, tarde e com uma atroz dor de cabeça.
Médico recém-formado, fui, mesmo sonolento,
descartando as piores possibilidades: meningite
não é, porque não tenho febre, não tenho rigidez
de nuca; tumor cerebral, pouco provável, aneurisma,
menos provável ainda. Conclusão: simples ressaca.
O que não era de admirar; a festa, embora modesta
(uns poucos colegas, uns amigos e amigas),
prolongara-se até a madrugada, muito vinho,
muito champanhe. Agora vinha o preço. Paciência:
de qualquer jeito a fase das bebedeiras estava no
fim. Aquele era o ano em que eu me tornaria um
profissional sério.

A custo — o sol inundava o quarto com
a implacável claridade do verão — abri os olhos.
Diante de mim estava Suzana, mirando-me fixo
e de maneira estranha. Mais estranho ainda, estava
completamente vestida, inclusive com a boina que
usava em viagens. A seu lado, a mala, a velha
mala. Sentei-me na cama, espantado; antes que
eu pudesse perguntar qualquer coisa, ela disse,
numa voz baixa, contida, que estava indo embora,

e para sempre. Estarrecido, e angustiado, perguntei
o que tinha acontecido, o que tinha eu feito de
errado. Nada, respondeu, não aconteceu nada,
você não fez nada de errado, mas eu estou indo
embora, e não volto. É isso.

É isso? Quatro anos juntos, e as coisas
terminavam assim? Eu não podia acreditar
no que estava ouvindo. Apesar da dor de cabeça,
saltei da cama, tentei abraçá-la. Repeliu-me,
suave mas firmemente: por favor, não; minha
decisão está tomada, não vamos tornar as
coisas mais difíceis. Perguntei para onde estava
indo, respondeu que primeiro para a casa dos
pais; depois resolveria.

Desejou-me, sem qualquer ironia, um ano
feliz, pegou a mala, saiu. Pouco depois, ouvi
a porta do apartamento bater. Tornei a sentar na
cama, arrasado. O que teria acontecido na noite
passada, na primeira madrugada do ano novo?
O que teria eu dito? Em que garota teria passado
a mão? Não conseguia lembrar; a memória era
um espesso, pesado nevoeiro. E a dor de cabeça,
feroz, continuava.

Começava mal, aquele 1964. Começava muito mal, aquele 1964. Não podia ter começado pior, aquele 1964.

Passei meses deprimido, sem saber o que fazer e tão alheado que o golpe militar nem chegou a mexer muito com minha vida. Política, em realidade, nunca me interessara muito; eu votava por obrigação e sempre ao acaso; na faculdade, era apontado como alienado pelo pessoal de esquerda e como inocente útil pelo pessoal de direita. O que não chegava a ser uma acusação; achavam que eu era assim mesmo, interessado em medicina mas desligado do mundo. Agora, porém, esse desligamento tornava-se preocupante: para meus pais, que moravam no interior e passaram a telefonar diariamente, e para os amigos. Todos sabiam do transe pelo qual eu tinha passado e todo mundo procurava ajudar de qualquer jeito, mas o único que fez alguma coisa de prático foi o Zé Pedro, colega de turma, e com quem eu estabelecera, ao longo do curso, uma sólida amizade. Um dia veio me procurar: tinha arranjado

*um emprego para mim, numa instituição
psiquiátrica. Precisavam de alguém que atendesse
as intercorrências clínicas e lembrara de mim. Como
emprego não era grande coisa, mas eu precisava
trabalhar, não só para ganhar uma grana (sou de
família pobre) como também para sair da crise.*

*No dia seguinte lá estava eu, na Clínica
Renascença. Funcionava num casarão do bairro
Menino Deus, em Porto Alegre, uma mansão
que em tempos idos pertencera a um barão e que
ainda guardava ares de imponência, apesar das
instalações modestas. A clínica tinha internação
e atendimento ambulatorial para pacientes
privados ou conveniados.*

*Eu deveria me apresentar à diretora, a doutora
Lucrécia. Depois de uma longa espera, fui admitido
à sua sala. Lá estava ela, sentada atrás de uma
enorme e imponente mesa com tampo de mármore.
Eu já a conhecia — formara-se no ano em que
eu entrava na faculdade — mas, aparentemente,
não se lembrava de mim, aquela mulher bonita,
de traços enérgicos e temperamento idem. Cordial,
mas firmemente, listou minhas obrigações: eu*

deveria comparecer à clínica todos os dias,
das oito às doze. Deveria examinar todos
os pacientes que entrassem e atender os que
me fossem encaminhados. Indagou se eu
era facilmente localizável, se tinha telefone,
se estaria disponível para emergências.

Aí fez uma pergunta curiosa: queria minha
opinião sobre o discurso de formatura do orador
de minha turma. Entre parênteses: esse discurso
provocara certa comoção na cidade. Um veemente
pronunciamento em favor de um Brasil socialista,
que merecera inclusive uma pública reprovação
do reitor. Respondi, e isso era verdade, que não
recordava bem o texto; talvez até fosse válido como
declaração de intenções, opinei, mas se revelara
inadequado para uma festa de confraternização.
Ela pensou um pouco, fez uma anotação na ficha
que tinha diante de si, e foi em frente: perguntou
se eu estava envolvido com política. Mais intrigado
ainda, respondi que não, que política não me
interessava. Ela deu-se conta de minha estranheza
e, aparentemente numa concessão ao jovem e
inexperiente colega, explicou que, diante da

situação do país, não queria ver nem a clínica,
nem os médicos, metidos em confusão.
Lembrou que, na faculdade, muitos estudantes
haviam tomado posições de esquerda, o que
agora se tornava perigoso. Ainda desconcertado,
repeti que não era o meu caso.

Nas semanas que se seguiram, convivemos
diariamente. Ela me intimidava, mas ao mesmo
tempo me fascinava. Tanto na chefia como no
atendimento dos pacientes, era extremamente
disciplinada e metódica. Tinha objetivos claros:
queria subir na vida, de preferência através de
uma carreira acadêmica. O pai, cuja memória
reverenciava de forma até exagerada (havia
uma enorme foto dele na sala), fora professor
da faculdade. Lucrécia também lecionava,
mas num curso de administração de saúde, coisa
que não a satisfazia. Queria ser reconhecida como
psiquiatra. Seu sonho, confessou-me, era apresentar
um trabalho — erudito, recheado de citações e,
ao mesmo tempo, inovador — num importante
congresso da especialidade, um congresso que,
realizado numa grande metrópole da Europa ou

dos Estados Unidos, reunisse milhares de participantes, os quais a aplaudiriam de pé. Pensando em obter material para o almejado trabalho registrava sistematicamente, minuciosamente, os casos que atendia; inclusive, e este detalhe me surpreendeu, com ajuda de um gravador. Em seu consultório havia uma reprodução, em gesso, de O pensador *de Rodin, com um microfone oculto no interior, coisa que me mostrou com indisfarçado orgulho. Por alguma razão, confiava em mim; mesmo assim, fiquei surpreso quando me convidou para um jantar a dois no elegante apartamento em que morava, uma atenção que não dava a nenhum dos outros médicos. No dia marcado, lá estava eu, de terno e gravata — ela usando um belo vestido, com decote ousado. Jantamos à luz de velas, tomamos vinho; seguiu-se uma conversa entremeada de frases de duplo sentido, sorrisos maliciosos, historietas picantes, a mostrar que seu interesse por mim não era inteiramente profissional. Dormimos juntos, naquela noite, e nos tornamos amantes; mas ela deixava bem claro que aquilo não era para valer.*

Não posso ficar sem homem, dizia, e prefiro alguém confiável. Franqueza brutal, até, mas previsível na ambiciosa pessoa que ela era. Um doutorzinho recém-formado, ainda que, modéstia à parte, bonito e bom de cama, só podia interessar a ela como transitória aventura. Seus objetivos eram maiores e exigiam contatos com figuras importantes. Usava a sua condição de diretora da clínica para aproximar-se de figurões — políticos, por exemplo, mas também empresários. Estava sempre em festas e recepções e vez por outra era mencionada na coluna social. Mais uma razão para eu me convencer de que vivíamos em mundos à parte, cujas órbitas eventualmente coincidiam em sua cama.

O que não me incomodava muito. Ainda tentava esquecer Suzana, que, eu tinha de reconhecer, me magoara profundamente; de modo que, na pior das hipóteses, a ligação com Lucrécia representava uma espécie de desforra. Mas teria de ficar nisso, se eu não quisesse mais aborrecimentos. E eu não queria mais aborrecimentos.

O trabalho na clínica não era mau, e com o decorrer das semanas revelou-se até interessante.

*Doença mental era algo que eu conhecia pouco;
na faculdade tivéramos apenas um sumário curso
de psiquiatria, uma introdução a uns poucos
conceitos básicos. Ali, não. Ali eu examinava
diariamente esquizofrênicos e maníacos. A loucura
para mim se tornou uma coisa familiar; cedo eu
estava dialogando com os psiquiatras quase de
igual para igual. Mas, apesar da experiência
adquirida, não podia deixar de me impressionar
com a mulher na capela.*

*Essa capela ficava num corredor pelo qual
eu passava diariamente, a caminho dos quartos e da
enfermaria. Herança do antigo dono da casa, um
senhor muito devoto, nada tinha em comum com as
capelas habituais; era um lugar pequeno e sombrio,
um desvão quase: um altarzinho com a imagem da
Virgem, três ou quatro cadeiras e só. Talvez por
causa disso, pouca gente ia lá; até que, já em fins de
1964, a capela ganhou uma freqüentadora habitual.*

*Tratava-se de uma mulher de meia-idade,
que eu conhecia do bairro do Bom Fim, onde
morava então. Sabia que era gerente de uma
pequena malharia e que tinha sido hospitalizada*

por um surto psicótico, desencadeado pela prisão
(por motivos políticos) do filho. Que eu também
conhecera, de vista; um rapaz alto, magro, de
óculos, basta cabeleira e olhar um tanto alucinado,
um típico representante da esquerda festiva que
à época era a regra na universidade. Logo depois
do golpe fora detido e não mais se soubera dele.
Era, portanto, compreensível o choque pelo qual a
mãe passara, e que rompera o seu precário equilíbrio
emocional. A loucura fora, em seu caso, o desfecho
previsível de uma história à qual não haviam
faltado episódios de perturbação psíquica, incluindo
algumas internações. Por outro lado, delírios
místicos não eram raros ali na clínica, e até um
Cristo tínhamos, com longos cabelos e barba,
anunciando constantemente o fim dos tempos.
Mas não deixava de ser estranho que a mulher
passasse o dia na capela: era judia. O que levaria
uma judia, mesmo perturbada, a freqüentar uma
capela? Teria experimentado uma espécie de crise
religiosa, com súbita conversão ao catolicismo?
Difícil saber. O certo é que, de pé diante da imagem
da Virgem, falava ininterruptamente; uma história

que repetia sem cessar, de forma às vezes compreensível às vezes não.

Comentei o caso com Lucrécia, que imediatamente se mostrou interessada. O editor de uma revista de psiquiatria estava preparando um número especial sobre delírios místicos, e o relato daquele caso poderia resultar num bom artigo científico para a publicação (e para apresentação no sonhado congresso). Verdade que a paciente não era dela, era de outro psiquiatra, o que não chegava a ser problema: afinal, era diretora, podia ter acesso a todos os casos da clínica.

Foi comigo observar a mulher. Realmente, disse, é um caso curioso, merece ser estudado. Aí teve uma idéia: colocar um microfone oculto na imagem da Virgem para registrar aquele contínuo monólogo, que seria o ponto de partida para o trabalho. Como não entendia muito de aparelhos eletrônicos, perguntou se eu a ajudaria.

Vacilei. Parecia-me um procedimento pouco médico, aquele, e com um potencial não pequeno de incomodação. Além disso, microfone no Pensador era uma coisa, numa imagem da Virgem outra,

*bem diferente. Ela notou minha hesitação e não
gostou: deixou claro que não admitiria uma recusa.
Naquela noite coloquei, pois, o microfone, ligando-o
por um fio (que disfarcei da melhor forma possível)
a um gravador. Fiz isso com uma sensação estranha,
a sensação que deve se apossar dos profanadores
quando entram em templos, um misto de excitação
e de culpa. Na infância, eu fora perseguido pela
fantasia de que, por causa de muitos pecados,
arderia para sempre nas chamas do inferno, o que
me fazia acordar à noite gritando. Ali não se tratava
exatamente de uma transgressão, já que, ao menos
supostamente, estava em jogo o interesse científico;
mesmo assim sentia-me contrariado, e tratei de
executar a tarefa o mais rápido possível. Lucrécia
instruiu uma funcionária de sua confiança para
ligar o gravador sempre que a paciente entrasse
na capela; alguns dias depois me disse que as
gravações estavam muito boas e que o material era
promissor. A tal material, porém, não tive acesso;
não mais me falou do assunto. Aliás, não me falou
mais de assunto algum. Mostrava-se cada vez mais
distante, dizia que não tinha tempo para se*

encontrar comigo. Ou seja: eu passara à irreversível categoria de carta fora do baralho. De fato, tempos depois anunciou que nossa ligação estava terminada; agora estava saindo com outro homem. Não entrou em detalhes, mas os auxiliares da clínica comentaram que se tratava de um manda-chuva, um cara importante no governo que se instalara em 64. Por causa desse homem, ou por outra razão qualquer, deixou a chefia da clínica e mudou-se para Brasília. Quanto à paciente, teve alta.

Mas eu não conseguia esquecer aquela história das gravações. O que fora feito delas? Liguei para a clínica, consegui o endereço de Lucrécia em Brasília e escrevi-lhe a respeito. Semanas depois, recebi dela um texto datilografado: era a transcrição das gravações. Um lacônico bilhete dizia que o material não fora aproveitado para nenhum trabalho; mesmo assim ela lhe dera uma redação coerente e até um pouco ficcional, coisa atribuível, segundo suas palavras, a uma frustrada vocação de escritora. Enviava-me o texto apenas para que dele eu tomasse conhecimento; não deveria mencioná-lo

a ninguém, muito menos as circunstâncias em
que fora obtido. Num PS que traía certa ansiedade,
surpreendente numa pessoa tão segura de si,
perguntava se eu por acaso removera o microfone
da imagem.

Não, eu não o removera. Há muito tempo já
não trabalho na clínica (na verdade fiquei lá apenas
dois anos), mas acredito que o microfone ainda
esteja lá e assim permanecerá para todo o sempre.
No Dia do Juízo, quando a terra se abrir e os mortos
saírem de sua sepultura, a imagem tombará de
seu altar e se espatifará no chão, revelando, a quem
puder ver, o oculto instrumento que possibilitou certa
forma de traição. Só espero que ele não pese muito
na balança do Bem e do Mal. Quanto ao monólogo
da mulher na capela, aqui está.

Vais me desculpar, mas não pareces judia.
Não uma judia como eu, pelo menos. Para
começar, és bonita: pele lisa, feições delicadas,
nariz pequeno, bem diferente do meu nariz
judaico, grande, poderoso, um nariz que fareja

mais coisas do que deveria farejar. Eu não sou feia, propriamente, mas estou muito castigada, pela idade e sobretudo pela vida. Olha a minha cara, olha as rugas, as olheiras... Castigada, sim. Sofri muito. E é por isso que a tua beleza me chama a atenção: sofreste, mas nem por isso o sofrimento aparece nas tuas feições. Sim, és bela. Só não me agrada muito tua expressão. Para o meu gosto, pareces meio desligada. Claro, as santas têm de ser desligadas mesmo, a santidade coloca a pessoa numa outra dimensão, distante desta em que vivemos nós, mortais pecadores; mas isso me incomoda um pouco, acentua a diferença entre nós. Não tens nada de judia, muito menos de judia sofredora. Não foi uma judia que serviu de modelo para o artista que fez a tua imagem. Aliás, grande artista não deve ter sido; caso contrário, não estarias na capela de um hospício, estarias num museu qualquer, as pessoas fazendo fila para te ver. Mas não, estás aqui. E eu também estou aqui, falando e te dizendo coisas. Porque sou louca, claro; loucas falam com imagens. Loucas falam sozinhas —

é o meu caso, e não podes imaginar a chata que sou —, loucas falam com as panelas, falam com as paredes, falam com as pedras, por que não falariam com imagens? Pelo menos a gente tem a sensação de que está falando com alguém. Não é ruim falar com imagens. Não é ruim, não; não é ruim. Tantas pessoas falam com santos... É um consolo, é uma coisa que entendo, mesmo não sendo católica. Aliás, nunca fui muito religiosa, não freqüentei a sinagoga, e uma das razões pelas quais eu não ia lá era exatamente esta: não tinha nada para ver, naquele lugar. A religião judaica proíbe qualquer tipo de imagem. Nem mesmo de Deus. Principalmente de Deus. Para mim, Deus sempre foi uma figura imaginária. Criança, pensava nele como um velho de olhar severo, de longas barbas brancas. Pensava num Deus com a cara do meu avô Jacó. Que não era um homem bom, longe disso. Batia nos netos, o nojento, e uma vez me deu uma surra que me deixou cheia de manchas roxas. Até hoje não sei por que me bateu; decerto eu encarnava os demônios dele, que não eram poucos e que o seguiram da

Polônia até o Brasil, aonde chegou ainda rapaz.
Veio para o Brasil sonhando ficar rico, o que
nunca conseguiu: não passava de um pequeno
e malsucedido comerciante, que botava a culpa
de seu fracasso no governo, nos concorrentes,
na família, nos netos, principalmente nos netos:
essas crianças me irritam, me tiram da paciência,
não posso me concentrar nos negócios, desse
jeito nunca ficarei rico. E então, ai de quem
estivesse perto, e eu sempre estava perto. Como
não estaria perto de Deus? Eu o olhava,
fascinada, esperando que a qualquer instante ele
fizesse um milagre, talvez ascendendo no ar —
até o forro da casa, pelo menos. Meu avô não
fazia milagres. Era religioso, rezava muito,
pedindo ao Senhor que lhe trouxesse bons
clientes, mas não fazia milagres, nem tratava
bem as pessoas. Quando morreu, deixei de ir
à sinagoga, coisa que sempre exigira de mim.
Deixei de rezar, deixei de jejuar. Não dava certo
mesmo; eu não conseguia nada do que pedia
a Deus. Para usar as palavras de meu avô (que
não entendia muito de negócios, mas sabia falar

difícil) aquilo era um mau investimento.
Talvez isto não te agrade muito, mas desisti das
esferas superiores, aquelas nas quais vives
e que me parecem distantes, inacessíveis.
Vamos resolver as coisas por aqui mesmo,
decidi. Fiquei mais prática, sabes? Mais prática.
Deus não é importante, concluí; comida
é importante, roupa é importante. Troquei
o sublime pela realidade. E, apesar de estar em
tua presença, devo dizer que não me arrependo.
Fiquei prática. Prática e louca. Estranhas
essa combinação? Mas esta é a vantagem da
loucura: dá para combinar com qualquer coisa,
até com espírito prático, e eu fiz isso muito
tempo. Só não quis a santidade. Tua santidade,
francamente, não me interessa.

Agora, deves estar te perguntando:
a troco de quê vem essa mulher aqui, essa judia,
dizer essas coisas? Ela não sabe que está
no lugar errado, que isto é uma capela, que aqui
só entram os crentes? Cai fora, mulher. Vai-te
daqui, louca. Desaparece antes que te consumam
as chamas do inferno. Some.

Eu sei que este não é meu lugar. Mas para onde iria? Estou presa. Trancaram-me aqui há duas semanas. No começo até me amarravam, e tinham de me amarrar mesmo, porque eu agredia as pessoas, era louca furiosa, arranhava, mordia, dava pontapés. Deram-me uns remédios, e me acalmei. Depois de uns dias me soltaram, permitiram que eu andasse pelos corredores. Foi assim que descobri esta capela. É melhor do que a enfermaria, isto. Ninguém gritando, ninguém se jogando no chão, ninguém agredindo ninguém. Silêncio. E as velas acesas. E a tua imagem, a imagem de Nossa Senhora, a imagem que as pessoas reverenciam. A mim ninguém reverencia. Sou pouco importante, e sou louca, ainda por cima. Não posso negar que sinto uma certa inveja em relação a ti. Mas é bom estar aqui, nos teus domínios. Não vou dizer que me sinto bem nesta capela, porque não me sinto bem em lugar nenhum, sempre aquela angústia, aquela raiva, aquela vontade de gritar, de quebrar tudo, de bater nos outros — que posso fazer? Loucura é assim mesmo. Mas aqui

dentro não me sinto louca. Não me sinto tão
louca, pelo menos. Aqui sinto-me calma.
Calma assim eu só sentia quando ia à biblioteca,
perto da minha casa.

Era um lugar que me atraía, aquele.
Sempre que podia, dava uma escapada e me
refugiava lá. Porque era uma grande leitora, eu.
Melhor dizendo: tornei-me uma grande leitora.
No começo nem gostava de ler. Só procurava
a biblioteca por causa da calma, do silêncio,
a mesma calma e o mesmo silêncio que encontro
aqui. Ficava ali sentada, sem me mexer,
bem quietinha. Mas isso chamava a atenção.
A bibliotecária me olhava como se eu fosse…
louca? É, como se eu fosse louca. Acho que já
percebia minha loucura; o ar meio transtornado,
o brilho um tanto alucinado no olhar, a voz
um pouco esganiçada… Eu é que não me dava
conta disso. Mas a mulher não podia dizer nada:
não é proibido passar os dias numa biblioteca,
chegando de manhã cedo e ficando até a hora de
fechar. Estranho pode ser, mas não é proibido.
Mas eu não gostava do jeito como aquela

senhora me olhava. Resolvi disfarçar. Pegava
um livro e fingia que estava lendo. Depois comecei
a ler, mesmo. E, quando vi, estava gostando.
Machado de Assis era meu preferido, mas eu
lia tudo, romance, conto, crônica, poesia…
A propósito, tenho uma história contigo, na
biblioteca, sabes? Num livro de arte, vi uma
fotografia da *Pietà*, de Michelangelo. Aquilo
me impressionou, a mãe com o filho morto no
colo, uma imagem que eu não podia esquecer
e que via até em sonhos. Entrando na biblioteca
eu ia direto ao livro, ficava horas olhando
a *Pietà*, às vezes em lágrimas. Um dia, decidi:
queria aquela foto para mim. Disfarçadamente,
arranquei a folha. Fui correndo para casa
e colei a foto, com sabão, na parede do quarto.
Mamãe ficou furiosa, disse que aquilo não
era da nossa religião. Arrancou a *Pietà* da
parede e jogou no lixo. Chorei um dia inteiro.
Não na frente dela, naturalmente; não lhe
daria esse prazer. Chorei sozinha. Chorei por
mim. Chorei por ti.

Minha mãe não gostava que eu fosse

à biblioteca. Não gostava de livros, ela. Para começar, mal sabia ler. Como meus avós, era imigrante; tinha vindo de uma aldeia da Europa Oriental; lá, leitura e livros eram coisa para homem. E para homem na sinagoga. Mulher tinha de ficar em casa, cozinhando, lavando roupa, cuidando das crianças — oito, no caso dela e dos irmãos. Ler? Nem pensar. Por causa disso mamãe desenvolveu uma imensa raiva contra os livros, coisa até insólita na tradição judaica. Verdade que não era uma típica mãe judia, gorda, superprotetora, alimentadora; conheci várias assim, no bairro do Bom Fim onde moro, mas não era o caso de minha mãe. Não alimentava os filhos (nem com comida, nem com leitura); aliás, não alimentava nem a si própria. Comia pouco, tinha nojo de comida. Era magra. Tu também és magra, mas és diáfana, és transparente, és clara; conforme o efeito da luz, podes ser até radiosa, como convém à santidade. Minha mãe, não. Era magra, mas escura, por causa dos eflúvios que brotavam constantemente nela e que escureciam

sua expressão. Como ela, sou magra e escura;
consigo contaminar tudo que me rodeia com
esta escuridão interior que antagoniza
e neutraliza até a luz do sol, quanto mais a luz
das velas que iluminam esta capela. É mais fácil
herdar as coisas ruins do que as boas, não é
mesmo? Mas então: minha mãe não lia, e não
queria que eu lesse, a não ser as coisas da escola.
Agora, ir à biblioteca, isso eu não podia,
de jeito nenhum. Não quero que percas tempo
lá, dizia, tens muita coisa a fazer aqui em casa:
segue o exemplo de tua irmã.

Minha irmã, dois anos mais velha, era
a boazinha: arrumava a cama, ia à feira fazer
compras, ajudava nas coisas da casa. Excelente
aluna, não freqüentava a biblioteca, mas era
a queridinha dos professores, tirava notas
excelentes. Uma santa, quase. Não santa como
tu, naturalmente, mas bem santa, de qualquer
modo. Minissanta, pelo menos.

Eu invejava minha irmã. Tinha raiva dela.
E por isso sofria, por causa da raiva que sentia
dela. Eu era ruim. Não parecia ruim, mas era

ruim. Minha maldade ficava escondida, mas era, posso te garantir, muita maldade. Quando me olhava no espelho (e detestava me olhar no espelho) não via um rosto puro e sereno como o teu. O que eu via era uma cara rígida, dura de ódio, um olhar desvairado — eu já era louca, o espelho sabia disso, o espelho me mostrava coisas que eu não queria ver, uma vez quebrei o do meu quarto a marteladas (a surra que levei de minha mãe podes imaginar). Desgostava-me, minha expressão: eu queria ser boa, mas não conseguia; minha cara não deixava. A cara me comandava, a cara e o espelho conspiravam para acabar comigo. Ah, sim: eu usava óculos. Ainda por cima usava óculos. Como meu pai, eu tinha problemas de visão. Ler, às vezes, era uma coisa muito difícil. Mas, apesar da contrariedade de minha mãe, e da dor de cabeça que às vezes me assaltava, não abandonava a leitura. Quando mamãe me proibiu de ir à biblioteca, dei um jeito de continuar lendo: pedia livros emprestados a um senhor que morava perto de nossa casa e que era um grande leitor. O velho me

emprestava, claro, apesar de me olhar de um
jeito meio safado, coisa que eu até tomava como
elogio, mas que não importava muito: o que
eu queria era ler. Mais que um prazer, era uma
esperança, a única esperança. Tinha certeza
de que algum dia, em algum livro, encontraria
a resposta definitiva para minhas dúvidas,
a fórmula mágica da felicidade. Eu queria ser
feliz. Os romances falavam nisso, em felicidade,
mas o que era mesmo felicidade? Eu não sabia,
claro, porque não era feliz, mas podia imaginar.
Felicidade incluiria uma casa melhor do que
aquele tugúrio em que morávamos, uma mãe
menos rancorosa, um pai menos ausente,
uma irmã menos inteligente, menos virtuosa.
Melhor ainda, uma irmã morta, falecida muito
cedo, de alguma rápida enfermidade. Uma irmã
cujo único resíduo fosse uma foto desbotada
numa moldura barata com um vidro meio sujo.
Uma irmã para sempre imobilizada, como tu.
Para essa irmã eu poderia olhar sem problemas.
Poderia até falar com ela, contar-lhe as histórias
que lia, e até anedotas, anedotas de sacanagem,

aquela da prostituta na carroça e outras. Uma irmã em foto seria ideal. Eu me sentiria melhor. Poderia até me mirar no espelho. E me miraria rindo, um riso meio tolo, mas riso, de qualquer maneira; uma face risonha sempre é melhor do que uma face sombria. Pelo menos é o que indica a lógica. Eu já não me veria com os cantos da boca caídos, a marca registrada do meu ressentimento e da minha frustração. Não, aos poucos os cantos da boca se elevariam em direção ao céu, lá onde moras. Essa trajetória marcaria o caminho da minha felicidade, um caminho até mensurável, em graus ou em milímetros. Conforme garantia um dos livros, em sua vistosa encadernação, apenas alguns milímetros nos separam da felicidade.

Mas o livro definitivo, o livro que daria as respostas às minhas dúvidas, o livro que me ensinaria o caminho dessa sonhada felicidade, o Grande Livro, esse livro eu não o encontrava. Não o encontrava na biblioteca, não o encontrava entre as obras que me emprestava o vizinho. Lia, lia, e nada. Teria eu de ampliar

a área de busca? Teria eu de percorrer outras
bibliotecas, maiores, teria eu de arranjar
outros fornecedores, mesmo que esquisitos,
mesmo que perigosos? Teria eu de freqüentar
livrarias e sebos, sendo obrigada então,
por causa da falta de dinheiro, a roubar livros,
coisa que certamente eu não saberia fazer, coisa
que provavelmente teria conseqüências, para
dizer o mínimo, desagradáveis? Ou, quem sabe,
deveria buscar outras fontes de informação,
que não o texto escrito? Quem sabe deveria
tentar o tarô, a adivinhação em folhas de chá?
Como vês, mesmo os letrados, mesmo os fãs
de Machado, são consumidos por dúvidas,
dúvidas que me paralisavam, me impediam
de fazer qualquer coisa.

Não sei aonde teria me levado aquilo,
se minha mãe não tivesse intervindo, com
a sua costumeira irritação. Impaciente com
meu fraco desempenho no colégio, decidiu que
eu iria trabalhar. Não estou aí para sustentar
preguiçosas, disse. Arranjou-me um emprego
como caixa na loja de ferragens de uns amigos.

33

Eu era boa em contas; e, com esse trabalho,
ela liquidava dois coelhos com uma paulada.
Eu agora tinha um salário, que não era grande
coisa, mas me ensinaria o valor do dinheiro;
e, de outra parte, talvez em minha cabeça
os números substituíssem as letras, talvez
a realidade deslocasse as absurdas fantasias
(Grande Livro etc.), talvez um patrão
substituísse, com sucesso, o meu fraco pai. Minha
mãe confiava em números, não com a mística
fé de um cabalista, mas com o sentido prático,
ao qual atribuía, não sem fundamento, o fato
de ter sobrevivido em condições adversas.

Era um lugar pequeno e abafado, aquela
loja. Ali estava eu, entre alicates e martelos,
entre latas de tinta e pacotes de pregos. Desculpa
falar em pregos; sei que teu filho foi pregado
à cruz... Melhor não lembrar essas coisas, não é?
Respeito tua dor. Sou louca, mas não sou grossa.
Sou louca, mas não sou burra.

A loja não tinha muito movimento, e de
vez em quando eu levava um livro para ler.
O dono, parente distante de minha mãe, não

gostava disso. Tens de prestar atenção, advertia-me. Prestar atenção em quê, eu perguntava, meio impaciente, prestar atenção nos alicates, nos martelos? Ele não respondia. Ficava até meio magoado com minha incompreensão, minha agressividade. Mais tarde, muito mais tarde, dei-me conta de que o homem realmente acreditava nas coisas que me dizia. Acreditava no poder de um olhar que, fitando com a devida intensidade e concentração o interior de uma loja (aí incluídos martelos, alicates, latas de tinta), criaria ali uma espécie de campo magnético capaz de atrair com força irresistível os passantes, capaz de metamorfoseá-los instantaneamente em fregueses tresloucados: um martelo, pelo amor de Deus, um grande martelo, um martelo bem caro, o melhor martelo do mundo! Isso era o que eu deveria fazer, olhar fixo, olhar intensamente. Mas preferia ler. E conseguia fazê-lo, apesar de todos os obstáculos; quando o patrão me proibiu de trazer livros para a loja, passei a arrancar páginas do meu Machado, colocando-as dentro do livro-caixa. Ele pensava que eu estava examinando a contabilidade. Nada. Nada de "deve", nada de "haver". Não estava examinando — desculpa o palavrão — bosta nenhuma. Eu estava lendo, estava seguindo, emocionada, a trajetória de Capitu.

Manobras furtivas não me tornavam mais feliz. Minha insatisfação crescia. Estaria eu condenada a ser empregada, naquela loja ou em outra qualquer? Como poderia escapar a esse deprimente destino? Tens de casar, dizia minha tia, irmã de minha mãe, uma solteirona que havia muito renunciara a qualquer ilusão romântica e que optara, em vez disso, por arrumar, ou tentar arrumar, a vida dos parentes e dos conhecidos:

— Casar, ter filhos, ter a tua casa. O resto é bobagem.

Aquilo me parecia o cúmulo da mediocridade; eu repelia com fúria tais ponderações. O que em absoluto incomodava titia, mulher persistente; com o tempo vais me dar razão, dizia, e era verdade; aos poucos, comecei a pensar nisso, em casamento. Inclusive porque pensava em homem. Eu já estava com

vinte anos e jamais tivera um namorado.
Não que fosse feia; não, era só um pouco
desengonçada; mas era tímida, eu,
irremediavelmente tímida, e calada. Não sabia
falar sobre nada a não ser livros, e mesmo
assim tinha vergonha disso, de falar sobre
minhas leituras, não queria que me julgassem
metida a sebo. Contudo, sentia falta de homem;
minha vida sexual se resumia a certas
manobras que não posso descrever aqui;
não é o recinto apropriado. Minha tia era
insistente, porém, mesmo porque eu despertava
nela uma irresistível vocação casamenteira.
Vou te arranjar alguém, prometeu, e daí por
diante volta e meia me procurava: tenho um
rapaz para ti, garanto que vais gostar dele.

    Não eram ofertas de entusiasmar: uns caras
medíocres, burros mesmo, que eu rejeitava
com irritação. Mas então ela me falou do Samuel.
Que eu, aliás, já conhecia: morava perto da
minha casa. Não se tratava de nenhum galã,
obviamente. Um rapaz baixinho, encolhido.
Como eu, quieto, meio deprimido. Mas, como

eu, lia muito; e gostava de cinema, como eu.
Ou seja, tínhamos coisas em comum que, para
minha tia, contavam bastante; mais importante,
porém, era o fato de que Samuel estava
relativamente bem de vida: trabalhava com o pai,
numa malharia, que não era das maiores, mas
que rendia bem, fabricando suéteres de berrante
colorido. Por último, tanto o pai como a mãe
insistiam para que o rapaz casasse; era o filho
mais velho deles e não viam a hora de ter netos.

Então, perguntou titia, o que achas?
Hesitei; ela tomou a vacilação como
assentimento. No sábado seguinte, Samuel veio
me buscar para ir ao cinema. Não lembro qual
era o filme, mas lembro da ansiedade com que
sentei a seu lado. Tinha certeza de que, em
algum momento, ele agarraria minha mão.
Segundo minha amiga Raquel, um ano mais
velha que eu, e já com alguma experiência no
assunto, assim deveria começar um namoro.
Mas Samuel não pegou minha mão. Mantinha-se
imóvel, os olhos fixos na tela. Cenas românticas
sucediam-se, beijos, abraços — e nada. Era

muita paixão pelo cinema. Ou então, muita timidez. De qualquer jeito, saí dali convencida de que tinha encontrado o meu futuro marido. Ele só precisava de tempo para se declarar.

E muito tempo se passou, meses. Saíamos regularmente, íamos ao cinema ou a um bar, conversávamos sobre vários assuntos — melhor dizendo, eu conversava sobre vários assuntos, porque ele falava pouco. Eu sentia por ele uma espécie de ternura, que foi crescendo, até se transformar em — amor? Não sei se essa é a palavra adequada, mas, de qualquer modo, eu era correspondida em meu sentimento. Ele agora me olhava, coisa que não fazia antes; uma vez me disse que eu era muito simpática; e uma noite, na porta de casa, me beijou. Um beijo furtivo, desajeitado, mas era o meu primeiro beijo, o primeiro beijo dele. Ficamos ali, extasiados: a barreira tinha sido enfim rompida. Daí em diante seríamos felizes para sempre.

Não fomos. Claro que não fomos. Felizes para sempre? Essa não. Felizes para sempre... Como piada, serve. Só como piada.

39

Casamos, como nossos pais esperavam
e queriam, e a festa até que foi bonita, mas
à festa seguiu-se a noite de núpcias, no pequeno
apartamento que o pai de Samuel tinha nos
dado de presente. E essa noite de núpcias foi
um terror.

Ele não sabia o que fazer. Nem eu.
A nossa vida sexual até então se resumira
a beijos, e algumas carícias desajeitadas; mas
agora tratava-se de penetração, e isso, até onde
eu sabia, dependia da iniciativa dele. Bem que
tentou, o coitado. Mas era constrangedora,
a sua inexperiência, mais constrangedora ainda
do que a minha. Não podia dar certo, aquilo,
e ao cabo de algumas horas de tentativas
desesperadas ali estávamos nós, eu deitada
de bruços, chorando, e ele sentado na beira
da cama, a cabeça entre as mãos, gemendo,
eu não sei fazer isso, eu não sei fazer isso.
Felizmente o sol nasceu, o dia clareou, ele pôde
ir para a malharia, e eu, agora no papel de dona
de casa, saí para fazer compras. Graças a Deus,
nossa lua-de-mel havia terminado.

Mas a trégua, porque era apenas trégua, durou pouco. O sol, aquele mesmo sol que, nascendo, nos libertara de uma noite medonha, o sol se pôs; o sol pode não ser implacável, mas indiferente ele é, indiferente ao sofrimento de seres humanos manipulados por seus ocultos terrores. Logo era noite e a inquietação baixou sobre nós de novo. Na hora do jantar, e não era um grande jantar, o que eu tinha feito — um arroz meio cru, uns bifes meio queimados —, tentávamos falar sobre coisas inócuas, o dia dele no trabalho, o meu dia na casa; mas era difícil, era penoso mesmo, manter uma conversação despreocupada, nossa ansiedade era grande demais. E finalmente chegou o momento em que tínhamos de nos deitar. Momento tenso, momento de apreensão. Lentamente nos despimos, um observando o outro disfarçadamente; e, eu de camisola, ele de pijama listrado, introduzimo-nos na cama. E aí já não tínhamos mais os pés no chão; naquela cama (que, para cúmulo do azar, era desconfortável com seu colchão barato e seu duro lastro)

estávamos à deriva, como num escaler
perdido no oceano e arrastado por correntes
marítimas. Mesmo assim, e porque estávamos
casados, tentamos de novo. E, de novo,
um desesperador fracasso.

Resolvemos dar um tempo; e resolvemos,
tácito acordo, dar à cama um novo uso:
era o lugar em que líamos. Empilhados nas
mesas-de-cabeceira, os livros transformaram-se,
para nós, em salva-vidas, o salva-vidas que nos
resgataria do naufrágio do sexo. Mergulhávamos
na leitura, ou fingíamos que mergulhávamos na
leitura, mas a dúvida estava ali, ameaçadora:
por quanto tempo poderíamos manter aquela
encenação? Por quanto tempo se pode fugir
das obrigações conjugais que, para nós, eram
exatamente isso, obrigações? De tempos em
tempos, e movidos pela culpa, partíamos para
uma nova tentativa. Que sempre se revelava
frustrada. E aí, volta aos livros.

Ah, como éramos infelizes, nós, como
éramos infelizes. E o pior é que não tínhamos
a quem pedir ajuda. Minha mãe? Nem pensar.

Provavelmente eu ouviria uma recriminação, tipo isso é o que dá perder tempo lendo bobagens, leu tanto e não aprendeu nada, não sabe nem o que fazer na cama. Minha tia? Era só casamenteira, não especialista em dificuldades sexuais. Aí procurei a amiga Raquel. Depois de alguma hesitação falei do problema. Para minha surpresa, pôs-se a chorar, por que me contas essas coisas, isso só me deixa assustada, acho que nunca mais vou querer namorar. Só o que ela sabia, constatei — espantada e consternada —, era segurar a mão do namorado no cinema, e talvez beijar. Tentei consolá-la (eu, que estava em busca de consolo e amparo), mas foi inútil: saiu correndo, e daí por diante tratou de me evitar. Se me avistava na rua, atravessava para a outra calçada. E mal me cumprimentava. Eu era para ela uma ameaça, uma figura assustadora, uma espécie de alma penada, de espectro do sexo.

Em suma, estávamos sós, Samuel e eu; estávamos num beco sem saída, desesperados, entregues à nossa própria sorte. Ele até tentou, o coitado, encontrar uma solução. Anos depois, e envergonhadíssimo, contou-me que procurara uma velha judia que, na juventude, fora prostituta, e pedira-lhe que lhe ensinasse o que fazer. Por um módico preço ela lhe deu, de fato, alguns rudimentos teóricos, mas quando chegou a hora de botar a coisa em prática (o que ela, aliás, exigiu), Samuel entrou em pânico (as pelancas, as verrugas, a boca murcha, sem dentes) e bateu em retirada.

Tínhamos chegado ao fundo do poço, e é um lugar medonho, o fundo do poço, posso te garantir, um lugar de lama, de detritos, um lugar de escuridão, até sapos tem ali, e nenhum deles é o Príncipe Encantado. Mas aí aconteceu o milagre. Não um milagre como os teus; nenhum anjo nos apareceu com a boa-nova. Mas, ouso te dizer, foi quase isso. Porque de repente uma visão se apossou de nós, uma visão maravilhosa, uma revelação: a visão do filho.

Um filho, sim. Afinal, era para isso que tínhamos casado, para termos filhos. Um filho seria a solução dos nossos problemas. Já não precisaríamos ficar na cama, tensos; poderíamos brincar com o nosso bebê, trocar as fraldas do nosso bebê, embalar nosso bebê para que dormisse. Nosso bebê: essa visão (porque já era uma visão, já víamos o garotinho em seu berço) nos galvanizava; ficávamos ambos extáticos, de olhar brilhante — transfigurados, acreditas nisso? Transfigurados. Estávamos apaixonados. Não um pelo outro. Estávamos apaixonados pelo filho que teríamos. Um legítimo triângulo amoroso, com um vértice virtual mas nem por isso menos emocionante.

Resolvemos retomar as tentativas, que havíamos interrompido por absoluto desespero. E o fizemos com muita cautela. Cada movimento era estudado, mas — interessante, isso — não desprovido de ternura. Como se fôssemos dois inválidos procurando ajudar-se mutuamente. Funcionou: a barreira foi rompida, e aquele tesão longamente represado nos invadiu com fúria inesperada. Fizemos amor gemendo, gritando, rindo. Quando terminamos tive certeza de que estava grávida.

E estava mesmo, segundo constatou
o médico. A notícia se espalhou rapidamente.
Meus pais e os pais de Samuel estavam
felicíssimos. Os vizinhos nos cumprimentavam.
Até Raquel veio falar comigo, pedindo desculpas
por ter sido grosseira. Ou seja: grávida eu
era outra. Grávida, eu era a glória.

Era mesmo? Nem sempre. De uma maneira
geral, me sentia animada, principalmente
quando arrumava as roupinhas do nenê. Mas
de vez em quando enjoava, vomitava tudo
ao redor. De vez em quando invadia-me uma
súbita tristeza. Eu não me sentia prenhe de
vida; sentia-me podre, tão podre quanto uma
maçã recheada de vermes; no caso, um único
verme, grande, informe e gosmento, o bebê.
Nesses momentos tinha ataques de fúria,
agredia o Samuel, tentava até bater nele.

Sofria muito com isso, o coitado. Não
entendia nada; nada do que se passava comigo
e nada em geral. O mundo para ele era uma
grande incógnita, que só se tornava um pouco
compreensível em filmes e livros. Mas, mulher...

Mulher grávida... Isso não entendia. Claro, colocava a mão sobre meu ventre e ficava feliz quando o bebê a chutava (aquelas cenas típicas de cinema), mas de resto sentia-se desamparado. E alarmado.

Alarme que se revelou premonitório.

O parto foi difícil. Céus, como foi difícil o parto. Diferentemente de minha mãe, não quis dar à luz em casa, ajudada pela parteira do bairro. Não, fui para um hospital, tive toda a assistência. Vais me dizer que isso não é necessário, que um bebê pode até nascer numa manjedoura, que o importante é ter fé. Eu, porém, não quis arriscar; procurei um bom obstetra.

Essas providências todas não me salvaram do sofrimento. Deus falava sério quando anunciou que deveríamos parir em meio a dores. Não sei no teu caso, que foi excepcional, mas eu paguei todos os meus pecados, paguei com juros, e juros pesados. Felizmente o menino nasceu sadio, e todos respiraram aliviados, achando que o pior tinha passado. Enganavam-se.

Vou ter de mudar de assunto. Por causa

dessa mulher que entrou na capela. Ela diz que
é faxineira, que trabalha na clínica, mas eu sei
que na verdade é uma espiã: segue-me por
toda parte. Olha o jeito dissimulado dela, olha
a cara da ordinária. Eu sei qual o sonho da vadia:
quer ler meus pensamentos. Mas não consegue.
Porque desenvolvi um jeito de pensar que
safada alguma consegue decifrar. Eu penso
ao contrário, sabes? Não me perguntes como,
mas penso ao contrário. Primeiro o fim, depois
o começo. Agora vou ficar quieta por um
momento e vou pensar três — três, não, quatro
— frases ao contrário. Em seguida ela irá
embora. Viu? Já foi. Esse truque não falha,
porque essa mulher é muito burra. Espiã,
mas burra. Ela e as companheiras. As faxineiras
todas. Conheço essa gente; estão sempre se
metendo, sempre escutando as conversas.
E agem em conjunto, as ordinárias. Essa aí
deve receber informações das outras, daquelas
que trabalharam lá em casa. Provavelmente se
reúnem, tarde da noite, para trocar figurinhas.
Conspiração, verdadeira conspiração. Agora:

não sabem com quem estão se metendo, elas.
Não sabem mesmo. Pensar ao contrário é só
uma das coisas que posso fazer. Existem muitas
outras. Não posso te falar disso, porque
ainda é segredo. Elas não perdem por esperar,
as faxineiras. Não perdem por esperar.
Vagabundas.

Mas eu estava contando... O que mesmo?
Essa mulher me atrapalhou, essa infeliz. Ah,
sim, agora me lembro. Depois do parto...
Depois do parto enlouqueci. Dizem que é comum,
mulheres enlouquecerem depois do parto.
Não sei. O fato é que eu já era meio louca e fiquei
louca por inteiro, louca varrida, louca de pedra.
E foi uma coisa que aconteceu de repente.

Já estávamos em casa com o nenê. Eu tinha
preparado um quarto para ele, com o lindo berço,
e o armário para as roupinhas, e os brinquedos,
e tudo parecia estar em ordem, mas aí a coisa
começou. Foi logo depois da circuncisão.
Tinha de ser feita, naturalmente, e foi feita,
mas devo dizer que me causou muito sofrimento,
aquilo. Felizmente foi rápido, e agora o nenê

já tinha nome (Gabriel, uma homenagem ao falecido avô de Samuel) e tudo parecia bem, mas não estava bem.

Uma noite acordei com uma sensação estranha. O berço estava ao lado de nossa cama e havia uma pequena lâmpada acesa; à luz fraca dessa lâmpada vi o pequeno Gabriel subindo no ar. Gritando, saltei, e tentei alcançá-lo, e aí fiquei tonta, e caí, e quando vi, Samuel estava ajoelhado junto a mim, aterrorizado, perguntando o que tinha acontecido. Consegui convencê-lo (e a mim própria) de que tudo não passara de um pesadelo. Mas, duas noites depois, a cena se repetiu, quase do mesmo jeito, e dessa vez Samuel achou que alguma providência teria de ser tomada. Falou com a mãe dele, e com a minha. Minha sogra, que já tinha ouvido falar de casos semelhantes, decidiu: isso é coisa para médico.

Veio o médico, um psiquiatra. Conversou comigo, fez umas perguntas, e anunciou que eu teria de ser hospitalizada. Ao que eu reagi com fúria: como deixaria o menino sozinho?

Tão transtornada estava que quebrei várias coisas, tiveram de me agarrar à força. E à força fui levada para o hospital psiquiátrico.

Desse lugar, lembro muito pouco; dopada, passei lá duas semanas, e depois voltei para casa. Aparentemente as coisas estavam normais; eu já não via o nenê ascendendo no ar; via-o, sim, como uma criança linda, cada dia mais linda, uma criança a quem eu mirava com os olhos cheios de lágrimas. Estás curada, dizia Samuel, aliviado, e eu dizia que sim, porque queria acreditar nisso, que minha doença se tinha ido para sempre, como o sarampo e a varicela que tivera na infância; no fundo, porém, sabia que não era assim, que o germe da loucura continuava dentro de mim, latente, pronto a invadir-me de novo. Tinha medo, tanto medo que resolvi não mais engravidar; a meu pedido, o obstetra ligou as trompas. Samuel nada disse. Seguramente ficou frustrado, mas ele era assim, guardava para si sua contrariedade e seu sofrimento.

A vida continuava. A Segunda Guerra

terminou e foi aquela celebração, mas nos meses que se seguiram recebemos notícias sombrias da Europa. Nossa família tinha parentes lá e ficamos sabendo que muitos deles haviam morrido em campos de concentração. Mesmo minha mãe, aquela dura mulher, chorava sem parar. Eu também chorava, mas no fundo me sentia aliviada; meu filho nascera num país sem guerras, sem campos de concentração, daquele destino estaria poupado. Destino. Que sabia eu de destino? Que sabia eu dessas merdas todas que iam me acontecer?

Desculpa o palavrão. Eu disse que não sou grossa, mas, no fundo, é exatamente isso o que sou, uma grossa. Uma mulher grosseira. Língua suja. Cabeça suja. Suja e louca. Falando em sujeira, podiam te limpar de vez em quando, não é mesmo? Olha só a poeira que te cobre. Falta de respeito. Falta de respeito, e falta de asseio. Sei o que a faxineira vai dizer: não pode fazer a limpeza porque, cada vez que entra na capela, eu estou aqui e olho feio para ela, amedrontando-a e fazendo com que bata em

retirada. Mas isso é desculpa da velha porca.
Ela poderia vir aqui à noite, por exemplo.
Poderia, amorosamente, passar um paninho
de pelúcia nas tuas delicadas feições, nas tuas
vestes. Eu não me importaria com isso;
dormindo (e aqui não deixo de dormir; sonífero
é o que não falta) não tomaria conhecimento
dessa coisa. E se essa maldita faxineira quisesse
falar contigo, por que não? Se ela quisesse te
contar a história da vida dela, como te conto
a história da minha vida, por que não? Tenho
certeza de que, boa como és, há em teu coração,
e em tua mente, lugar para muitas histórias,
mesmo histórias de faxineira sem-vergonha.
Sem-vergonha, sim. Sem-vergonha e preguiçosa.
Não sei quanto pagam a essa vadia, mas
qualquer salário para ela é demais, não vale
a comida que come. E dizer que o Marx confiava
nessa gente. Foi por isso que ele quebrou a cara.

De qualquer modo, naquela época a vida
era boa, ou, ao menos, não era ruim, não era
de todo ruim. Eu agora era dona de casa —
não precisava mais trabalhar em loja alguma —

e, principalmente, era mãe. Mãe dedicada.
Pode ter mãe tão dedicada quanto eu era; mais
dedicada, não. Eu cuidava do meu nenê, cuidava
dele vinte e quatro horas por dia. Um jeito
de fugir da loucura? Talvez, mas o certo
é que me sentia feliz e Samuel se sentia feliz.
Nós olhávamos o nosso filho crescendo e nos
maravilhávamos devidamente: olha o primeiro
dente! Olha ele caminhando! O tempo passava,
e passava rápido, e logo estava na escola,
aquele menininho vivo, esperto, que encantava
as professoras com suas respostas rápidas
e inteligentes. Logo estava trazendo para casa
os boletins cheios de boas notas... E estava
ganhando prêmios no colégio... Essas coisas.
Tenho uma pasta com as redações que ele fez
quando era criança. Precisas ver as maravilhas
que o Gabriel escrevia, mesmo sobre assuntos
banais, especialmente sobre assuntos banais.
"Como passei minhas férias", por exemplo.
Banal, não é? Mas ele ia fundo. Explicava
o que significa para uma pessoa ter férias.
Até me lembro de uma frase: "Férias não são

para descansar, férias são para escapar".
Não é fantástico? Escrito por um menino
de oito anos, não era fantástico?

Puxou a nós, o Gabriel. Gostava de ler.
Às vezes sentávamos os três na sala, cada um
com seu livro. Mas ele e Samuel liam; eu
não. Devo te confessar que ler me interessava
cada vez menos. Eu preferia ficar observando
disfarçadamente o meu filho. Minha única
leitura agora eram as composições dele.
Que sempre me deliciavam, mas que, com
o passar do tempo, foram me deixando
preocupada. Comecei a encontrar ali coisas
estranhas, certas palavras, certas expressões.
"Injustiça social", por exemplo. A troco de
quê um menino de oito anos haveria de falar
em injustiça social?

Logo descobri. Era na malharia que estava
aprendendo aquelas coisas. Na malharia, sim.
Samuel gostava de levar o Gabriel lá. E Gabriel
gostava de acompanhar o pai. Vou trabalhar,
dizia, todo orgulhoso. O que não é de admirar:
filhos gostam de trabalhar com os pais. E os pais

gostam de ver os filhos trabalhando a seu lado.
Os pais e as mães. Pelo que sei, teu marido era
carpinteiro, certo? Aliás, não é má profissão,
essa de carpinteiro, de marceneiro. Para quem
não tem diploma, não é má profissão.
Marceneiro que faz móveis de luxo para
os ricaços ganha muito bem. Acho que não
era o caso de vocês, mas de qualquer modo
teu marido tinha uma profissão e por certo
te alegrava ver teu filho trabalhando com ele,
empunhando um martelo, uma serra.

Comigo era diferente. Eu não gostava
de ver meu filho na malharia, mexendo com as
máquinas ou colocando suéteres nas embalagens.
Em primeiro lugar porque pretendia algo melhor
para ele. Pretendia que tivesse um diploma,
que fosse doutor. Que se distraísse na malharia,
tudo bem. Que aprendesse a trabalhar de
forma disciplinada também era bom. Mas que
Samuel não se iludisse: meu filho iria para
a universidade. A malharia não era lugar
para ele. Inclusive, e principalmente, por causa
do Pablo.

Esse Pablo era um espanhol que tinha
fugido do seu país depois da guerra civil.
Era anarquista. Isso a mim não interessava,
aliás eu nem sabia bem o que era anarquismo.
Boa coisa certamente não haveria de ser, como
o indicava a própria palavra: na anarquia,
nada pode dar certo. Acontece que o Gabriel
adorava aquele sujeito baixinho, troncudo,
de sobrancelhas espessas, cabelos grisalhos
e olhar penetrante. Um homem bonito, até,
e devo te confessar que às vezes me olhava de
maneira inquietante, de uma maneira que me
deixava perturbada, mas não era nisso que eu
estava pensando, estava pensando no perigo
que o Gabriel corria convivendo com aquele
sujeito perigoso. Pablo falava-lhe de suas
aventuras na guerra civil. Pablo entoava canções
revolucionárias que o Gabriel logo aprendeu.
E Pablo doutrinava o garoto, ensinava-lhe
as expressões que depois ele usaria nas
composições: injustiça social, luta de classes.
Mas doutrinava astutamente; por exemplo,
com a historinha do João Rico e do João Pobre.

O João Rico era o malvado explorador,
o burguês. O João Pobre era o desamparado
operário. Mas então João Pobre descobria que
ele não era o único explorado; havia muitos
assim, milhões e milhões de pobres: massas.
Um dia as massas se levantavam e, ao som de
hinos revolucionários, avançavam para a casa
do João Rico, arrancavam-no de lá e faziam
dele paçoca (não era brasileiro, o tal Pablo,
mas paçoca sabia o que era, e adorava falar
em paçoca de burguês). Não foi uma nem duas
vezes que ouvi o Pablo contar essa história
ao meu filho. Cada vez que alguém falava em
paçoca (felizmente não se fala muito disso, não
éramos chegados a essa coisa) eu estremecia.

Eu estava convencida de que o Pablo era
má influência para o Gabriel; várias vezes
adverti Samuel a respeito: esse cara está
enchendo a cabeça de nosso filho, está na hora
de terminar com isso. Samuel ouvia em silêncio,
não dizia nada, e não fazia nada. Era um tímido,
o meu marido. Um omisso. Não falava, a não ser
dormindo, quando então fazia longos discursos,

e às vezes até cantava, em iídiche. Com o filho
não conversava, e era por isso que Gabriel
procurava Pablo. O espanhol funcionava como
um pai para o guri, mas um pai irresponsável,
maluco. Tenho certeza de que ele foi o culpado
de tudo o que aconteceu depois, e que acabou
por resultar na desgraça do Gabriel e na minha
loucura. O guri nada mais fazia do que repetir
as bobagens que ouvia do anarquista. Na hora
do almoço, não comia: enquanto a sopa esfriava
(e era boa a sopa que eu fazia, muito boa,
no bife e no arroz eu errava, mas na sopa
acertava sempre, era nutritiva, saborosa) ficava
o tempo todo falando em classe operária, em
revolução, em tomada do poder. E falava em
tom de desafio; queria comprar briga conosco.
Samuel, como sempre, não dizia nada, ficava
mastigando em silêncio, o olhar perdido.
Mas eu não podia ouvir aquelas bobagens sem
me preocupar. Não te mete com essas coisas, eu
dizia a Gabriel, isso é perigoso, tens de estudar,
e te formar, e praticar uma boa profissão,
é isso o que tens de fazer. Não passas de uma

burguesa, ele respondia, furioso, e eu ficava
sem saber o que responder. Burguesa?
Eu? Burguesa? Burguesa, por quê? Burguesa,
como? Burguesa eu não era. Louca, sim;
a loucura continuava lá, dormitando mas pronta
a acordar. Com isso eu até me conformava, se
Gabriel me chamasse de esquisita eu não diria
nada, mas chamar-me de burguesa me enraivecia
e me assustava, parecia ameaça.

Samuel não fazia nada, mas fui falar com
meu sogro. Esse Pablo está virando a cabeça
do teu neto, eu disse, isso não pode continuar.
O velho, que também já estava de saco cheio
com o espanhol, usou um pretexto qualquer
e mandou-o embora.

Não preciso te dizer que Gabriel ficou
possesso. Chamou-nos de tudo; não éramos
apenas burgueses, éramos algozes da classe
operária. Passou dias sem falar conosco; na
hora do almoço, fazia o seu prato e ia comer
no quarto. Depois se acalmou, mas eu sabia que
as brigas se repetiriam. E foi o que aconteceu.
Volta e meia eu era chamada ao colégio. Sim,

dizia o diretor, o Gabriel é inteligente,
é brilhante mesmo, mas os professores não
agüentam as provocações dele.

Ou seja: nós nos incomodávamos,
o Samuel do jeito dele, eu do meu jeito.
Sei que também passaste por coisa parecida,
naquela vez que vocês foram a Jerusalém,
tu e o José, levando o Jesus, e depois perderam
o menino, e vocês ficaram preocupados, até ter
a lembrança de voltar ao Templo, e lá estava ele,
teu filho, falando com os sacerdotes. Mas Jesus,
pelo menos, encantou os velhos. Conosco foi
diferente. Conosco foi preocupante. Aconteceu
quando o Gabriel completou treze anos e tinha
de fazer o bar-mitzvá. Ele precisava ler um
trecho da Torá na sinagoga, e teve aulas para
isso, aulas particulares que custaram bem caro;
parecia preparado, mas a verdade é que no dia
se saiu mal. Estava muito nervoso, atrapalhou-se,
gaguejou, e um velho impertinente ralhou com
ele, o Gabriel deveria ter estudado mais, aquilo
era uma pouca-vergonha, um vexame para
a comunidade. Nós não dissemos nada, Samuel

e eu; quanto ao Gabriel, também estava
quieto, quieto demais, para dizer a verdade;
e sua expressão, hoje me dou conta disso, não
antecipava nada de bom. Voltamos para casa,
onde tínhamos preparado uma festa. Estávamos
contentes, apesar do incidente na sinagoga;
afinal, o dia do bar-mitzvá é um dia glorioso
para os pais.

Os primeiros convidados começaram
a chegar, e onde estava o Gabriel? Ninguém
o achava; tinha sumido, sumido da própria festa.
Aposto que ele voltou para a sinagoga, eu disse
a Samuel. Fomos até lá. Não deu outra: ali estava
o guri, batendo boca com o velho, chamando-o
de burguês degenerado e autoritário. Foi um caro
custo tirá-lo dali; o Gabriel queria briga mesmo,
saiu arrastado. Nesse dia convenci-me de que
a vida do meu filho seria muito, muito difícil.
Mas nem com bola de cristal eu poderia imaginar
o que aconteceria. Mesmo porque os anos que
se seguiram foram relativamente tranqüilos;
de alguma forma Gabriel se acomodou, já não
brigava tanto com os professores. A nossa vida

agora transcorria normal. Não cem por cento
normal, mas, digamos uns setenta por
cento normal. Sessenta por cento, talvez.
Mas não menos que isso. Não menos que
sessenta por cento. Menos que sessenta por
cento? De jeito nenhum. Sessenta por cento.
Uma coisa bem razoável, e eu estava feliz,
não completamente feliz, porque isso não existe,
a completa felicidade não existe, sempre estamos
distantes dela, nem que seja uns milímetros,
cinco, seis milímetros, mas não atingiremos
nunca a felicidade absoluta, não aqui na Terra,
é coisa para o céu, onde estás e de onde olhas
o mundo embaixo, este mundo triste, infeliz.
Por algum tempo vivemos num mundo diferente,
um mundo de quase-felicidade, mas esse mundo,
frágil mundo, em breve seria abalado: Samuel
adoeceu. Adoeceu, simplesmente. Tudo parece
bem, o Samuel pega e adoece; típico dele.

    Adoeceu daquele seu jeito: sem se queixar,
sem fazer estardalhaço.Tossezinha seca,
emagrecimento, um pouco de febre… Não é
nada, dizia, é só uma gripe forte, vai passar.

Só depois de eu insistir muito concordou em ir
ao médico, que mandou fazer uma radiografia
de pulmão. Era tuberculose, uma notícia que
recebi com preocupação, mas não alarme; já
havia tratamento para a doença e, segundo
o médico, em um ano no máximo Samuel ficaria
curado. Foi hospitalizado, coisa que deixou
Gabriel muito angustiado, inclusive porque
o doutor recomendou que não tivesse muito
contato com o pai: afinal, existia o risco de
contágio. Mas eu não abandonaria meu marido,
e assim todo dia ia ao hospital — até aquela
tarde medonha, de que lembro até hoje. Samuel
estava dormindo e eu lia uma revista qualquer
(àquela altura, como te disse, livros já não
faziam parte de minha vida) quando, de repente,
ele acordou. Sentou na cama e mirou-me, com
olhos arregalados; achei que ele ia me dizer algo
muito importante, algo que não me dissera em
todos aqueles anos de casado, o grande segredo
que guardara consigo. Em vez disso, porém, uma
golfada de sangue jorrou de sua boca, e logo
outra, e outra, e ele caiu para trás, morto,

completamente morto, cem por cento morto.
Morto de uma doença curável. Coisa do
Samuel. Com ele, tudo tinha de ser diferente,
tudo. Ai, Samuel, Samuel, por que fizeste
isso, Samuel? Samuel, Samuel, por que me
abandonaste? Samuel, por que morreste,
Samuel desgraçado, Samuel infeliz?

Desculpa. Desculpa o desabafo. Não
é do meu feitio gritar assim. Desculpa. Escuta,
já pedi desculpas, não pedi? Então por que
esse olhar? Esse olhar fixo? Desculpa. Desculpa
a reclamação. Desculpa tudo. Desculpa.

Passei muito mal depois da morte de
Samuel. Comecei a ouvir vozes, sinal certo
de que estava enlouquecendo de novo, mas fiz
força para que isso não acontecesse. Eu me
recusava a ouvir as tais vozes, eu tapava
os ouvidos, eu cantava músicas em iídiche,
as músicas que aprendera com o Samuel.
Eu não podia ficar louca; não naquele momento,
pelo menos; meu filho precisava de mim.
E, pelo Gabriel, dei um jeito de me manter sã.
Trabalhava furiosamente; de comum acordo

com meu sogro, assumi as funções do Samuel
na malharia, e logo estava me saindo melhor
do que ele. Comigo as coisas funcionavam.
Comigo Pablo algum ficaria doutrinando
o filho do patrão. A partir daí eu teria de ser
pai e mãe de meu filho. E eu seria pai e mãe.
Eu proveria o sustento dele. E continuaria
a ampará-lo como o amparara na infância.
O primeiro propósito, eu o cumpri razoavelmente.
Para o segundo, como sempre, tive problemas.

Nunca chegamos a passar necessidade,
pelo contrário. A malharia ia bem, dinheiro
não faltava, e até pude me mudar para um
apartamento maior e mais confortável. Agora,
achas que o Gabriel se mostrava grato pelo
esforço que eu estava fazendo? De jeito nenhum.
A morte do pai, com quem nunca tivera uma
relação estreita, foi, no entanto, um abalo grande
para ele, e eu acabei servindo de válvula de
escape. Agredia-me o tempo todo, inclusive por
causa do meu trabalho na malharia: eu agora
era a burguesa, a exploradora da classe operária.
O bate-boca era constante e uma vez, na mesa,

ele jogou a comida no chão, dizendo que aquilo tinha sido pago com o suor dos trabalhadores. Queria, como Jesus, expulsar a chicote os vendilhões do templo. Não era Jesus o modelo dele, era Che Guevara (tinha várias fotos desse cara no quarto), mas tu entendes o que estou te dizendo.

Não era fácil, posso te garantir. Não era fácil. Lá pelas tantas, comecei a falar sozinha. O que me assustou muito: era até pior do que ouvir vozes, porque eu não parava de vociferar, até palavrões dizia, esses palavrões que ouviste e outros piores. O que fazer? Deveria procurar o psiquiatra? Eu hesitava, e aquilo só fazia aumentar meu sofrimento. Mas de repente encontrei um consolo inesperado.

Comecei a colecionar coisas. Que coisas? Estatuetas e bibelôs de louça, de porcelana. Pastores e pastoras, anões, gatinhos, muitos gatinhos. De gatos, eu gostava desde criança; minha mãe nunca me permitira ter um. Não gostava de bichos em geral, mas detestava particularmente os felinos, animais imprevisíveis, traiçoeiros. Gato era coisa para gentio, para gói. Agora eles estavam ali, enfileirados nas minhas prateleiras, o Mandarim, o Rechonchudo, o Miau, o Travesso, o Confúcio, o Satanás. Eu me entretinha a limpá-los, e até a falar com eles, a ouvi-los. Porque eles tinham histórias a contar, tinham queixas a fazer: o Confúcio não gostava do Miau, o Mandarim queria que eu mandasse os anões embora, alegando que debochavam dele.

Minha coleção foi mais um motivo de atrito com Gabriel. A tua casa é vazia como a tua vida burguesa, dizia ele, então tu a enches com essas coisas idiotas. Não era a única crítica que me fazia; minhas roupas eram burguesas, a comida era burguesa. Ah, sim, e eu era exploradora, não só na malharia, em casa também: tinha uma faxineira, que vinha três vezes por semana. Por essa faxineira Gabriel se interessou. Não, não era aquele interesse normal de um adolescente, mesmo porque se tratava de uma mulher já velha, com cara de poucos amigos. Não, Gabriel via nela uma representante da classe trabalhadora. A faxineira, para mim uma safada, dava trela para o guri; perguntava coisas, e até queria ler os livros dele (encenação: era meio analfabeta). Conversavam horas, nas quais, evidentemente, as vidraças ficavam esperando para serem limpas. Por mim, teria mandado embora aquela asquerosa; mas não podia criar um caso com o Gabriel, mais um caso.

Apesar das discussões, era agora bom aluno. Estudava num colégio público (recusara uma escola privada, coisa de burguês) e já estava pensando no vestibular: queria fazer filosofia, para estudar a obra de Marx. Lia muito: o quarto dele, no apartamento — e era um quarto grande, muito maior que o meu —, estava abarrotado de livros. Todos sobre socialismo, comunismo, luta de classes. Obtinha-os em uma pequena livraria comunista que existia no centro de Porto Alegre. De vez em quando o dono ligava lá para a malharia: seu filho tem uma conta a pagar. Aquilo me irritava: o defensor da classe operária gastava dinheiro, a burguesona arcava com a despesa. Mas eu não dizia nada. Preferia não comprar brigas. Já me bastavam as incomodações de todos os dias.

Eu me sentia muito sozinha. Sim, tinha pais vivos, e os visitava, mas não havia nada em comum entre nós, nada. Minha mãe continuava a chata de sempre, meu pai o resignado silencioso de sempre. A amiga Raquel aparecia de vez em quando, mas só para queixar-se: hipocondríaca, vivia às voltas com mil problemas de saúde. Só minha tia procurava ajudar: se quiseres, te arranjo um marido, afinal de contas ainda és moça, tens uma boa situação financeira...

Um novo marido?

Eu não pensava nisso. Não ousava pensar nisso. Não ousava pensar em homem. Sentia necessidade, claro, mas perdia completamente o tesão só de imaginar o que diria o Gabriel se soubesse que eu estava tendo relações sexuais. De modo que me resignei a ficar sozinha, pelo menos até que ele saísse de casa, ou que amadurecesse. Isso era o que eu tinha decidido, mas quando a gente menos espera as coisas

acontecem, não é? No caso, aconteceu.
Apareceu o Jerônimo.

Era representante comercial
e periodicamente vinha à malharia oferecer fios,
materiais têxteis. Um homem de meia-idade,
corpulento, muito bem-humorado, como
costumam ser os representantes comerciais.
Não era bonito, parecia um buldogue,
mas isso me parecia secundário; o fato é que
eu gostava de conversar com ele, e quando ele
me convidou para jantar numa churrascaria,
aceitei sem muita vacilação. Afinal, era um
encontro de negócios. Além disso, o Jerônimo
era, como eu, viúvo. Saímos mais vezes
e acabamos passando a noite em um motel.

Ah, que noite foi aquela, que noite.
Foi a noite em que eu, já com trinta e oito anos,
descobri o sexo. Foi uma descoberta, sim.
Não uma redescoberta. Agora me dava conta
de que, com Samuel, e mesmo tendo orgasmo,
eu apenas tangenciara o prazer, nunca chegara
a mergulhar nele. Jerônimo era experiente
com mulheres. Gói, pênis não circunciso,

mas experiente. Eu gemia de prazer, como nunca tinha gemido antes. E eu estava… feliz? Sim, acho que posso dizer que estava feliz. Talvez não cem por cento feliz, mas oitenta por cento feliz. Setenta e cinco por cento feliz; no mínimo sessenta por cento feliz. E feliz poderia ter ficado por muito tempo. Só que lá pelas tantas o Jerônimo me fez a proposta: queria casar. Ele, que nunca ficara muito tempo com uma mulher, havia mudado, e por completo. Tu me fizeste mudar, disse, lábios trêmulos, olhos marejados de lágrimas. Tu és a mulher da minha vida, acrescentou, sem ti não posso viver.

Dilema terrível, como bem imaginas. Eu gostava do Jerônimo; não vou dizer que estava apaixonada porque àquela altura já não acreditava muito em paixão, mas sentia-me bem a seu lado (e na cama, então, nem se fala). Além disso era uma oportunidade para refazer a vida. Mas teria de anunciar a decisão à família, aos amigos. Foi o que fiz.

Meu pai não disse nada, mas mamãe não hesitou: no momento em que casares com aquele

homem, com aquele gói, estarás morta para
mim, bradou. Raquel não foi tão longe,
mas achava que eu estava procurando sarna
para me coçar. E até meu sogro veio com
um papo meio estranho: se eu casasse, uma
situação nova se criaria, o que o forçaria
a rever minha posição na firma.

Mas essa oposição toda eu ainda poderia
enfrentar; o que eu mais temia, de fato, era
a reação do Gabriel. E foi pior, muito pior do
que eu imaginava.

Para começar, cometemos um erro
estratégico. O Jerônimo, que era um homem
hábil, simpático, achou que facilitaria as
coisas levando-nos para jantar num restaurante
elegante, coisa com a qual concordei. Desculpa
o palavrão, mas aquilo não facilitou merda
nenhuma. O Gabriel foi, mas ficou sentado
imóvel, calado, o tempo todo. Não respondia
às perguntas de Jerônimo, ou, se as respondia,
era por monossílabos. No dia seguinte,
entregou-me uma carta. Nela, acusava-me de
estar me vendendo a um burguesão, de estar

entregando minha dignidade em troca de dinheiro. O que não era de espantar, acrescentava; para quem já estava explorando operários na malharia era só um passo adicional. Acabei terminando com o Jerônimo. Para não me incomodar, sabes? Para não me incomodar.

Se eu pensava que com essa renúncia obteria paz, estava enganada. Gabriel não me daria trégua. Aos dezesseis anos, começava agora a participar de movimentos de esquerda. Ele e um grupo de amigos faziam um boletim chamado *A Voz das Massas*, que era mimeografado na casa de um deles (Gabriel andava sempre sujo de tinta). E distribuíam esse boletim na rua, nos pontos de ônibus, em vilas populares. Em agosto daquele ano, 1961, ele encontrou uma causa; depois da renúncia de Jânio, houve uma tentativa de golpe militar para impedir a posse do vice-presidente João Goulart. Surgiu em Porto Alegre um movimento antigolpista, a Legalidade. Não preciso dizer que Gabriel participou nisso desde o primeiro dia. Juntava-se à multidão que diariamente se reunia diante do Palácio do Governo para dar apoio ao governador Leonel Brizola, principal defensor de Goulart. Gabriel ficava ali o dia inteiro, e só voltava para casa à noite ou de madrugada. Uma manhã minha vizinha Anita ligou-me, aflita, perguntando pelo Gabriel; escutara um boato de que os tanques do regimento da Serraria iriam bombardear o Palácio, que já estavam até a caminho. Larguei tudo e tomei um táxi até o centro. Corri ao Palácio, e de fato, ali estava o Gabriel, junto com outros jovens, empilhando os pesados bancos da praça da Matriz em improvisadas barricadas. Agarrei-me a ele e, chorando, pedi que por favor viesse comigo, que saísse dali. Não queria, e me empurrava, brutalmente, até; mas então apareceu um tenente da brigada militar e ordenou que me obedecesse: rapaz, faz o que tua mãe está pedindo. Gabriel voltou comigo para casa; furioso, destratava-me sem parar, dizendo que eu estava arruinando a vida dele, impedindo que cumprisse seu dever, que assumisse seu papel histórico na defesa das massas.

Os tanques não atacaram o Palácio e a crise terminou quando os militares cederam e Goulart foi empossado. Mas daí em diante as coisas piorariam cada vez mais. A agitação crescia, e Gabriel estava cada vez mais envolvido. Só parou um pouco no final do ano, porque queria fazer vestibular. Fez, de fato, filosofia, na Universidade Federal do Rio Grande do Sul, e passou muito bem. O que ele quer com filosofia, perguntava minha mãe, o que é que ele vai ganhar com isso? Para essas perguntas eu também não tinha resposta, nem queria uma resposta; meu filho havia entrado na faculdade e isso, de momento, ao menos, era mais do que suficiente. O Gabriel até permitiu que eu desse uma festa para comemorar. Uma festinha pequena, para familiares e para os amigos dele, todos sujos, todos cabeludos. Um deles propôs um brinde à revolução, coisa que deixou minha mãe indignada: para ela, revolução era coisa de bandido. Aquilo que deveria ser uma celebração terminou em discussão acalorada. Bem como eu previa, suspirou meu pai.

Na faculdade, Gabriel arranjou outros amigos. Que eram tão radicais quanto os anteriores, se não mais. Reuniam-se em um bar chamado Alaska, na frente da faculdade, e ali ficavam horas discutindo. Sei disso porque de vez em quando passava por ali, a caminho do centro, e via o meu filho, o Gabriel, sentado junto com rapazes e moças a uma mesa em que se acumulavam as garrafas de cerveja. E falando. Sempre era ele que estava falando; sempre exaltado, sempre de dedo em riste. Mas sabes que eu ficava orgulhosa? Tão orgulhosa quanto deves ter ficado quando vias teu filho pregando para as multidões; teu filho, teu filhinho, agora transformado num homem a quem todos escutavam com atenção e com emoção. Sabias que aquilo não terminaria bem, como eu também sabia; mas, o que é que a gente vai fazer? Somos mães, temos orgulho, ou raiva, de nossos filhos, mas não podemos controlar o destino deles.

O novo grupo do qual Gabriel fazia parte era diferente do antigo. Antes era aquele bando de guris malucos, distribuindo panfletos de propaganda no centro da cidade; agora, pelo que eu podia entender, tratava-se de ação, ação planejada — mas ação para quê? Isso não dava para descobrir. À vezes se reuniam em minha casa, mas, quando estavam lá, Gabriel me pedia, nem sempre com bons modos, que eu saísse da sala.

O fato é que não só eles se reuniam. Reuniões, e comícios, e manifestações ocorriam por todo o Brasil. A inquietação era geral. Pela primeira vez houve greve na malharia, o que deixou meu sogro perplexo: o que é que eles querem, afinal? O que é que estão pedindo? Tive de negociar com dirigentes do sindicato, gente que nunca vira antes. E tive de aumentar salários, coisa que para uma pequena empresa como aquela não era fácil. Mas, como me disse um dos sindicalistas, um homem baixo, moreno, de óculos escuros: as coisas no país estão mudando, minha senhora, vocês podem se dar por muito satisfeitos se continuarem donos dessa malharia.

A partir daí comecei a acompanhar o noticiário e me convenci: algo iria acontecer,

algo muito sério. Comando Geral dos
Trabalhadores, Pacto de Unidade e Ação,
União Nacional dos Estudantes, Grupo dos
Onze, Frente Parlamentar Nacionalista,
Ligas Camponesas, Ação Popular, essas coisas
passaram a fazer parte do meu cotidiano,
bem como as reformas de base, e os comícios,
e os movimentos de protesto. Mas, onde
estaria o Gabriel nisso tudo? De que grupo,
de que facção, fazia parte? Qual era o
objetivo dele?

Eu tentava desesperadamente descobrir.
Mal o rapaz saía eu corria para o quarto dele.
Ali, livros, jornais, revistas e panfletos se
empilhavam; ali estava o Marx, sim, ali estava
o Lenin, mas o que estavam lhe dizendo, o Marx
e o Lenin? Que recado estavam enviando?
Rebela-te, Gabriel? Mobiliza as massas, Gabriel?
Joga bombas na burguesia, Gabriel? Qual era
o mote, qual era a palavra de ordem, qual era
a senha? Impossível descobrir. Lá pelas tantas,
Gabriel, desconfiado, começou a chavear a porta
do quarto. Eu lhe implorava que me dissesse,

ao menos, aonde ia à noite; não é da tua conta, respondia, brusco, e encerrava o papo.

Eu não dormia. Simplesmente não dormia. Passava noites em claro, e sentia-me a ponto de enlouquecer; começava a ouvir vozes de novo, vozes escarninhas, vozes ameaçadoras. Meu sogro, igualmente preocupado — afinal, tratava-se do neto —, insistia: temos de fazer alguma coisa, não podemos deixar esse guri fazer bobagem. Freqüentador dos bares do Bom Fim, tinha fontes de informação muito melhores que as minhas, e, pelo que sabia, Gabriel estava metido com revolucionários, gente disposta a tudo. Mas, ponderava ele, se nem a mãe nem os avós conseguiam convencê-lo de que estava errado, alguém poderia fazê-lo: seu amigo Isaac, presidente da sinagoga, homem idoso, com fama de sábio. Queria marcar um encontro entre os dois. Melhor não, eu disse, lembrando o escândalo que Gabriel fizera no seu bar-mitzvá. Mas aquilo pelo menos me deu uma idéia: recorrer a um especialista.Um psicólogo.

Péssima lembrança. A psicóloga que procurei, e que me foi indicada por Raquel (que tinha a pretensão de conhecer as pessoas mais competentes em qualquer área, desde manicure até neurocirurgia), era muito mais louca do que eu, mas isso só vim a descobrir mais tarde. Num primeiro momento, confesso que me enganei. Recebeu-me num consultório acanhado, com as paredes desbotadas cheias de diplomas, provavelmente frios. E ali estava, uma mulher de meia-idade, vestida com certo espalhafato e um olhar esgazeado que teria me chamado a atenção se eu não estivesse, como estava, tão aflita. Ouviu com atenção a minha narrativa, interrompendo-me a todo momento com exclamações do tipo "grave, muito grave isso", o que só fazia me assustar ainda mais. No final, disse que teríamos de traçar uma estratégia, porque aquilo era guerra, e na guerra deve-se enfrentar o inimigo de forma planejada. Estranhei esse linguajar, porque afinal não via Gabriel propriamente como uma potência estrangeira; mas achei que fazia parte do jargão profissional.

A estratégia que me propôs consistia em três fases. Fase A, aproximação; fase B, envolvimento; fase C, dominação. Na primeira fase, e como o nome estava dizendo, eu deveria me aproximar de Gabriel, mostrar que o compreendia, que estava solidária com ele. A psicóloga ficaria na retaguarda (de novo, uma expressão dela), municiando-me com instruções. Perguntei se não precisaria conversar com o rapaz, mas garantiu que isso não seria necessário e que, pelo contrário, poderia revelar-se contraproducente e até perigoso. Ela me atenderia três vezes por semana, e por honorários que estavam longe de ser módicos. Isso, porém, era o de menos. Tão desesperada eu estava que pagaria qualquer soma por um tratamento que funcionasse.

Era uma tarefa difícil, a minha, e já era difícil desde a fase A. Aproximação: tudo bem. Mas aproximação, como? De que modo? Eu não compreendia o Gabriel; não compreendia o que falava, não compreendia o que queria.Quanto a estar solidária, bem, toda mãe está solidária com o filho, mas, estar solidária seria apoiá-lo de forma incondicional?

Em todo caso, fui em frente. Em primeiro lugar, e de acordo com a psicóloga, tinha de aprender a linguagem política que ele e os amigos falavam. Fui até a livraria comunista, falei com o dono, um homem já velho, com cara de sofredor. Contei a ele que, diante das transformações do país, eu pretendia aprender mais sobre marxismo e leninismo. Olhou-me, surpreso diante daquele súbito interesse, mas, sabendo que eu pagava as contas sem discutir, não se fez de rogado: indicou-me os livros básicos, o *Manifesto comunista* e vários outros. Fui para casa com o enorme pacote, disposta a estudar aquele material todo. Coisa difícil, inclusive porque havia muito tempo eu já não lia: tinha perdido a fé nos livros, achava que nada tinham a ver com a vida. Mas agora a leitura era uma imposição e assim naquela noite mesmo abri o *Manifesto*, que, ao menos, é curto. Fiquei sabendo que, na época de Marx e Engels, um espectro assombrava a Europa, o espectro do comunismo. O termo me impressionou. Espectro? Se Marx e Engels viam seu próprio sistema como espectro, que se poderia esperar de minha visão a respeito? O *Manifesto* garantia também que a história da humanidade era a história da luta de classes. Luta: essa foi outra palavra que me deixou preocupada. Então era de luta que se tratava, agora? Luta contra quem? Contra a burguesia, óbvio. Segundo o Gabriel eu não passava de uma burguesona. Isso me caracterizava como inimiga. Mas seria irreversível, essa classificação? E seria tão má assim? Para meu alívio, Marx e Engels tinham algumas palavras indulgentes para com a burguesia. Diziam, por exemplo, que por ter criado cidades ela resgatara boa parte da população da modorrenta e atrasada vida rural. O que me deu certa esperança. Burguesa, eu tinha alguma coisa a dizer a meu favor, invocando o insuspeito testemunho de Marx e Engels.

Depois de duas semanas de esforço insano eu já havia decorado muitas expressões da literatura marxista-leninista. Mas isso não

bastava. A psicóloga disse que eu precisava
mudar minha aparência. Nisso, concordava com
Gabriel: eu me vestia como uma burguesona
(escusado dizer que considerava as próprias
roupas como revolucionárias, vanguardistas).
Talvez fosse verdade, mas o que poderia eu
fazer? Afinal, era gerente de uma malharia,
lidava com empresários, com clientes, precisava
usar roupas decentes. Impaciente, descartou
meus argumentos: tínhamos de raciocinar
como Gabriel, e adotar os valores dele, inclusive
em termos de vestuário. Em vez de vestido,
blusinha simples e calças jeans; em vez de
sapatos de salto alto e bico fino, sandálias.
Obviamente, acrescentou, estarás sempre
com os pés sujos, mas é isso que eu quero,
pés sujos, bem sujos, quanto mais encardidos,
melhor. Falou longamente sobre os pés como
símbolo: os pés são a nossa base, os pés
nos levam a nosso destino, e os pés dizem
quem somos. Calçando sandálias, impregnados
da sujeira das ruas, da sujeira popular, teus pés
mostrarão identificação com as massas.

E aí chegou o momento decisivo. Dona de uma nova linguagem e de uma nova imagem, eu estava preparada para invadir o território até então hostil, nele desfraldando a bandeira que caracterizaria a minha revolucionária condição de mãe-companheira. Isso deveria ser feito no grande reduto da esquerda universitária, no Alaska.

Operação difícil. O Alaska não era um daqueles típicos botecos de filme, teto baixo, luzes mortiças, atmosfera enfumaçada, tipos esquálidos e barbudos em mesas de toalhas sujas; não, era um bar acolhedor, simpático. Mesmo assim me intimidava. Fui em frente, contudo, na estratégia; e assim, numa tarde de quarta-feira adentrei o lugar, usando uma blusa mais que simples, uma blusa ordinária, calças jeans e sandálias. Fui direto à mesa em que estavam Gabriel e seu grupo, cerca de quinze rapazes e moças. Tomavam cerveja, como de hábito, e comiam sanduíches.

Minha chegada foi recebida com um silêncio sepulcral, um silêncio que podia não

ser hostil, mas que era intimidante. Todos me
olhavam, sem dizer palavra. Criando
coragem, saudei a turma e perguntei se podia
sentar. Mas quem é a senhora, perguntou um
deles, intrigado e, certamente, desconfiado:
a época era disso, de conspiração, de suspeição.

De novo fez-se silêncio. Eu não sabia
se respondia ou não, mas aí Gabriel tomou
a iniciativa:

— É minha mãe.

O silêncio agora traduzia o embaraço deles,
o constrangimento. Gabriel permanecia imóvel,
impassível, face pétrea. Mas uma das moças,
talvez com pena de mim, levantou-se, veio a meu
encontro, ofereceu-me uma cadeira. Sentei-me.
Não sabia o que dizer. Não era o caso de falar
sobre o *Manifesto*, era? Também não era o caso
de comentar a situação do país, de defender as
reformas de base. De modo que ali fiquei, tensa;
a tensão, aliás, era geral, e perceptível.
Felizmente a moça (que estava grávida e talvez,
como futura mãe, me compreendesse) perguntou
se eu bebia alguma coisa. Aceitei cuba-libre,

coisa que nunca tinha tomado, e que fez
engasgar e tossir, todos me observando,
agora divertidos. Gabriel achou que era hora
de dar um basta. Levantou-se:

— Muito bem. Vamos para casa.

No carro (àquela altura eu já dirigia) ele
não disse uma palavra. Mas tão logo entramos
no apartamento, explodiu: eu era uma mulher
burra, ridícula, eu estava estragando a vida dele.
Então não compreendia que ele tinha um rumo,
uma missão a cumprir?

Aquilo me assustou mais que tudo, aquela
palavra, missão. O que poderia significar aquilo?
Em que estava envolvido, o Gabriel? Chorando,
pedi que pelo menos uma vez confiasse em mim,
que me dissesse o que estava se passando, em que
estava envolvido. E então, para surpresa minha,
ele mudou por completo. Aproximou-se,
abraçou-me, beijou-me, disse que eu era muito
importante para ele. Não, não poderia me contar
o que estava havendo, mas que eu ficasse
tranqüila, tudo daria certo; mais, muito breve
eu me orgulharia de tê-lo como filho. Falava

gesticulando muito, os olhos brilhantes. Como
aqueles revolucionários de antigamente.

A partir daí as coisas se precipitaram:
era o final de 1963 e a agitação no país crescia
sem parar. O grupo de Gabriel agora se reunia
praticamente todos os dias — em minha
casa. Aparentemente, eu me tornara confiável.
E procurava corresponder a essa confiança.
Quando chegavam, corria a fazer café
e sanduíches, como uma típica mãe judia.
O fato é que me afeiçoara àqueles jovens. Eram,
quase todos, estudantes universitários, até então
desconhecidos para mim, com uma única
exceção, um rapaz chamado Benjamin, que vinha
a ser sobrinho de Raquel. Um tipo magrinho,
miúdo, com cara de fuinha e um jeito furtivo
que não me agradava. Mas nada disso importava;
importante é que eu tinha recuperado meu filho.
Passávamos agora muitas horas conversando,
e ele me contava tudo, inclusive sobre a
namorada, que morava no Rio, e com a qual
trocava longas cartas. Eu ouvia, melhor dizendo,
nem ouvia; simplesmente ficava olhando para

ele, e aquilo já era o suficiente, aquilo preenchia minha vida. Quis levar adiante aquela convivência: fazia muito calor, naquele verão, então propus que passássemos duas semanas na praia. Ele precisava de descanso: estava magro, esgotado. Recusou, porém, o convite: o momento não era para férias, a situação era grave.

Era mesmo. João Goulart, apoiado pela esquerda, exigia reformas de base, principalmente reforma agrária. Em março foi organizado um grande comício de apoio a essas reformas, na Central do Brasil, do Rio de Janeiro. O grupo de Gabriel decidiu ir para lá. Achei aquilo muito perigoso, mas, vendo que ele estava decidido mesmo, ofereci-me para comprar-lhe uma passagem de avião. Recusou: iria de ônibus, como os companheiros (felizmente não disse que avião era coisa de burguês). Foram, e cinco dias depois estavam de volta, Gabriel radiante: em pleno comício o presidente assinara um decreto desapropriando terras para a reforma agrária. É a revolução que está começando, mãe, bradava, eufórico.

Dessa euforia eu não partilhava. Alguma coisa, talvez o instinto herdado de meus antepassados (um deles ficou famoso por prever o massacre dos judeus em Kischinev, na Ucrânia; minha mãe contava que ele acertara até o número de mortos), me dizia que aquilo não terminaria bem. Mais assustada fiquei quando, em São Paulo, começaram as manifestações contra João Goulart e os sindicatos. A polarização agora era evidente. Um confronto seria questão de dias.

Eu agora via Gabriel muito pouco. Numa atividade frenética, ele não parava em casa. Na noite do golpe, sumiu. Simplesmente sumiu.

Podes imaginar a minha angústia. Não dormi aquela noite. Fui a todos os lugares onde ele poderia estar, e não o achei. De manhã, ocorreu-me procurá-lo na prefeitura. O prefeito era aliado de Brizola e de João Goulart e tudo indicava que ali seria um lugar de resistência.

Havia pouca gente no prédio, quando ali entrei. Dirigi-me a um velho funcionário, que estava na portaria, perguntei se conhecia

Gabriel. Não, não conhecia, mas deu-me
um conselho:

— Vá para casa, fique lá, não se meta
em confusão. Se o seu filho tiver de aparecer,
ele aparecerá.

Não apareceu. Nem naquele dia, nem no
seguinte; dez dias se passaram, e eu não tive
notícias dele. Então, uma noite voltei para casa
e encontrei a empregada apavorada: a polícia
tinha invadido o apartamento:

— Levaram uma porção de livros.
Disseram que era coisa de comunista.

Não eram os livros de Gabriel; àqueles,
e com inesperada prudência, ele já tinha
dado sumiço. Eram os meus livros, os livros
em que eu aprendera o jargão da esquerda:
o *Manifesto comunista*, as obras de Lenin.
Foram até exibidos para a imprensa como
exemplos de literatura subversiva.

Gabriel foi preso pouco depois.
Encontraram-no na casa dos pais de Lísia,
a moça grávida. Ficou no DOPS, a Delegacia
de Ordem Política e Social, por quatro dias,

onde foi interrogado. E aí soltaram-no,
e me avisaram para que fosse buscá-lo.

Fui, cheia de ansiedade e temor. Os pais
de Lísia já haviam me dito que me preparasse:
provavelmente haviam torturado o Gabriel.
Esperei por mais de duas horas num corredor
do DOPS. E aí abriu-se uma porta, e ali estava
ele, o meu menino, o meu Gabriel.

Ai, sei que passaste por coisa muito pior.
Sei que viste teu filho sendo crucificado. Sei
que sentiste quando os cravos penetravam a
carne das mãos dele — era como se penetrassem
a tua própria carne, fazendo-te uivar de dor.
Mas foi assim que me senti. Ali estava meu filho
Gabriel, meu filhinho, o rosto e os braços cheios
de manchas roxas e de queimaduras de cigarro,
dois dentes arrancados a soco. Mas havia pelo
menos um lado bom; não haviam apurado nada
contra ele, não o indiciariam. Aí me dei conta:
o que eles faziam na faculdade, no Alaska,
na casa de um, na casa de outro, era só aquilo,
só conversa. A suposta resistência que eles
e muitos outros haviam montado não passava

de um castelo de cartas, que agora desabava.
Mesmo assim Gabriel e seus amigos haviam
sido denunciados como revolucionários
(por Benjamin, soube-se depois; eu tinha razão
em suspeitar daquele cara).

Imaginei que a vida voltaria ao normal.
Sim, havia uma ditadura, mas, e daí? Era preciso
continuar vivendo. Foi o que eu disse para
Gabriel: esses caras não vão ficar muito tempo,
tudo o que a gente tem de fazer é esperar um
pouco, uns meses, talvez um ano.

Eu falava, falava, mas ele não ouvia.
E também não respondia. Passou semanas
trancado no apartamento, sem falar com
ninguém. Um dia, sumiu. Acordei de manhã,
e já não estava mais; tinha levado uma mochila,
umas poucas roupas. Sobre a cama, um bilhete:
"Vou seguir o meu caminho. Te amo". Só isso.
Claramente, estava querendo me poupar; quanto
mais eu soubesse, pior seria. Mas isso não era
consolo, isso não me protegia contra o desespero
que, desde então, se tornou uma constante em
minha vida. Eu não dormia; não sabia mais

o que era dormir. Passava a noite andando
de um lado para o outro, temendo enlouquecer
e querendo, ao mesmo tempo, enlouquecer,
querendo que a loucura me arrebatasse,
me tirasse daquela incerteza infernal. Qualquer
espectro, qualquer monstro fabricado pela
minha fantasia, seria melhor que a insuportável
incerteza. Eu uivava de dor, eu galopava pelo
apartamento: que brotassem dentro de mim
as sementes da loucura, que essa maligna planta
vicejasse dentro de mim, invadindo tripas
e veias. *Pietà*? Não. *Pietà* era resignação,
Pietà era silencioso e conformado sofrimento.
Isso eu não queria. Era loucura que eu queria,
loucura para ninguém botar defeito, loucura
com vozes e espectros, loucura com todos
os ataques de fúria possíveis e imagináveis,
loucura sagrada; uma loucura que me poupasse
de um dia ter de segurar ao colo o filho morto,
o bebê que eu amamentei (não muito bem; cedo
faltou-me leite), o menino com quem brinquei.
Deus, me enlouquece, eu pedia, e Deus atendeu
meu pedido, enlouquecendo-me.

Enlouqueci, portanto. Mergulhei no poço da loucura, impregnei-me da insanidade, exatamente como pretendia. Em termos de empreendimento pessoal, minha loucura foi um sucesso. Se não fiquei cem por cento louca, então cheguei perto: oitenta, noventa por cento louca. Comecei de novo a ouvir vozes. Tinham uma origem bem definida: vinham dos bibelôs, das estatuetas. Falavam entre si, aqueles objetos antes inocentes; batiam boca constantemente. E era uma discussão política. O Mandarim, que, apesar do nome, revelava-se agora fervoroso comunista linha chinesa (citava Mao constantemente), acusava o Rechonchudo de ser um burguês acomodado; o Satanás ameaçava denunciar o Confúcio ao DOPS. Falavam, falavam sem parar, e lá pelas tantas eu já não agüentava mais; aquela não era a loucura que eu pretendia, aquela loucura me remetia implacavelmente para a realidade, para as manchetes dos jornais onde temia encontrar, a qualquer instante, o nome de Gabriel. Fica quieto, Mandarim, eu comandava, mas

o maldito já não me obedecia; falava sem
parar, em coisas como luta de classes, ditadura
do proletariado, massas, massas, massas.

Por que faziam aquilo comigo, os meus
bibelôs e estatuetas, que eu colecionara com
tanto amor, que tratava com tanto cuidado?
Por que se voltavam contra mim, contra sua
zelosa dona? Alguma coisa estava errada.
Pensei, pensei e me dei conta: alto-falantes.
Alguém tinha colocado minúsculos alto-falantes
nas pastoras, nos gatinhos. De alguma remota
rádio, locutores sádicos davam voz a Mandarim
e Satanás com o claro propósito de me
enlouquecer, de me controlar via loucura.
O objetivo final era chegar ao Gabriel através
de mim, da mãe dele. Esperto, aquele DOPS.
Muito esperto. Mas não sabia com quem estava
lidando. A mim ele não controlaria, o DOPS.
Num acesso de fúria, peguei um martelo
(velho martelo, que eu guardava como
lembrança dos tempos da loja de ferragens)
e quebrei tudo, os pastores e as pastoras,
os anões, os gatinhos.

O tesouro da burguesona agora estava
em cacos. Mas o filho da burguesona tinha
ido embora para sempre. E talvez nunca mais
voltasse. Talvez morresse na selva amazônica,
guerrilheiro desesperado metralhado por
soldados. Coisa que eu não veria. Tentei matar-me,
enforcando-me. Mas nunca fui muito
boa nessas coisas: amarrei um fio elétrico no
lustre da sala, no lustre que era meu orgulho
e que Gabriel desprezava como coisa digna da
aristocracia francesa; coloquei o laço no pescoço e
saltei de uma banqueta, pensando que era
o pulo para a libertação final. Não era. O lustre
veio abaixo, provocando um curto-circuito e um
princípio de incêndio. A fumaça chamou a atenção
dos vizinhos. Arrombaram a porta do apartamento
e me encontraram caída no chão, sem sentidos, mas
viva.

Trouxeram-me para aqui, para este lugar
odioso, onde me vigiam constantemente e me
enchem de calmantes. Querem que eu me aquiete,
que não pense, que não fale. Mas preciso falar. E é
aqui que falo, aqui na tua capela,

no teu reduto. Aqui conto tudo, desde que a
faxineira não esteja por perto, aquela espiã.
Aquela traidora. Mulher safada. Recalcada.
Repara na magreza dela, essa magreza que vem
da ruindade. É dessas que não comem bem,
que não bebem bem. Ah, sim, e aposto qualquer
coisa como não trepa bem. Aposto que é frígida.
Só sabe gozar espionando os outros. É por isso
que vem aqui. Para me vigiar, e depois ter um
orgasmo de merda.

Aqui cheguei ao auge do meu desespero.
Sem notícias de Gabriel, o que poderia
eu imaginar, senão o pior? Tu sabes o que
é o desespero de uma mãe, tu sabes muito
bem, não preciso te falar e tu não precisas
me falar. O abismo medonho, não é?
O abismo sem fundo. Cheguei perto desse
abismo, cheguei a milímetros do abismo,
a frações de milímetros. Achei que não ia
agüentar. Achei que iria tentar de novo
o suicídio. E desta vez não me penduraria
num lustre. Desta vez faria a coisa para valer.
Comecei a procurar um fio, uma corda, qualquer

coisa que servisse para me matar. Difícil:
fios e cordas, aqui, eles escondem. Tem esse
fio que passa aí atrás de ti (meio escondido,
mas nada me escapa, a loucura vê coisas que
os normais não notam), e eu cheguei a pensar
em arrancá-lo; só não fiz isso por causa da
faxineira abelhuda e pelo medo de provocar
um curto-circuito. Enfim, esse era o problema
com o qual estive às voltas nos últimos três dias.

Mas hoje recebi uma grande notícia.
Hoje tudo mudou. Mudou como deve ter
mudado para ti, quando soubeste que teu filho
havia ressuscitado, que já não mais estava entre
os mortos.

*A transcrição terminava assim, no final de
uma página, mas de maneira meio abrupta,
como se estivesse faltando um fecho, uma conclusão.
"Hoje tudo mudou." O que havia mudado?
O que havia acontecido? Talvez não houvesse
um fecho, uma conclusão; talvez a paciente tivesse
interrompido ali o seu monólogo, pela entrada*

*da faxineira, talvez. Ou para tomar a medicação.
Ou para receber a alta. E, o monólogo interrompido,
ela não o retomara.*

*Ou então existia uma conclusão, mas
a página, ou páginas, correspondente, não tinha
vindo. E por que não tinha vindo? Engano da
secretária de Lucrécia ou da própria Lucrécia?
Ou quem sabe Lucrécia tinha criado uma narrativa
semificcional ou inteiramente ficcional, dando
vazão à sua frustrada vocação de escritora?*

*Essas eram algumas possibilidades. Mas havia
outra, na qual eu não queria pensar, mas que me
ocorria a todo instante. Talvez a narrativa, mesmo
distorcida pela loucura, correspondesse a uma
história verdadeira — da qual Lucrécia suprimira
o final. Talvez houvesse ali algo que a ela não
interessava divulgar. Que coisa? Para responder
a essa pergunta, eu tinha de deduzir qual a grande
notícia que a paciente havia recebido. Poderia
ser o fato de Gabriel estar vivo. E, ele estando vivo,
teria ela obtido informações sobre seu paradeiro,
sobre o lugar em que se ocultava?*

Quanto mais eu pensava no assunto, mais

intrigado, e mais cheio de suspeitas, eu ficava.
Suspeitas que não poderia esclarecer. Não com a
paciente, pelo menos. Àquela altura já fazia tempo
que tivera alta. Pelo que eu sabia, estava morando
com os velhos pais, que tomavam conta dela:
já não tinha mais condições de trabalhar.

Mas acabei tendo notícias do Gabriel,
e de forma inesperada. Uma manhã abri o jornal
e lá estava a foto dele, magro, a cabeleira revolta,
o olhar mortiço, a barba crescida. A notícia
identificava-o como membro de um grupo
guerrilheiro responsável por assaltos e mortes.
Estava aguardando julgamento num quartel e a
pena, segundo antecipava a matéria, seria pesada.
Semanas depois, e também pelo jornal,
fiquei sabendo de Lucrécia: fora nomeada para
um alto cargo no Ministério da Saúde. Daí em
diante ouvi falar muito nela, sobretudo entre os
colegas médicos. Zé Pedro, cara bem informado,
contou-me que agora a doutora era sócia de
vários hospitais psiquiátricos no Nordeste,
e que esses hospitais estavam conveniados com

o governo federal, o que garantia uma ótima grana.
E me gozou: tua ex-chefe está muito rica, deverias
procurá-la e oferecer teus serviços sexuais.

Eu não disse nada. Estava pensando em
outra coisa, em algo que meu velho professor de
clínica médica dizia: o diagnóstico é a arte de
reunir indícios às vezes vagos em um quadro coerente
e revelador, examinando todas as possibilidades.
Sim, eu poderia, se investigasse um pouco, descobrir
coisas a respeito de Lucrécia. Mas valeria a pena
fazer isso? Talvez o final do relato revelasse mesmo
o lugar onde se escondia o Gabriel. Talvez
Lucrécia houvesse denunciado o rapaz. E daí?
O que deveria eu fazer? Mandar-lhe uma carta,
acusando-a de dedo-duro? Alegaria, em sua defesa,
que Gabriel era, afinal de contas, um elemento
perigoso, e que cumprira sua obrigação,
denunciando-o aos serviços de segurança. Sigilo?
Não, ela não rompera sigilo algum. Quem rompera
o sigilo fora a própria mãe de Gabriel.

Mas havia, sim, uma coisa que eu poderia
fazer e que, de certo modo, representaria
uma vingança, uma pequena vingança,

uma minivingança. Poderia me apossar do relato
que Lucrécia havia enviado, transformando-o —
como fora o projeto original dela — em um trabalho
científico. Um belo trabalho, que apresentaria
em algum importante congresso de psiquiatria.
Em Nova York, por exemplo. Ou Londres, ou Paris,
ou Viena, mas não menos que isso. New Jersey?
Nem pensar. Tegucigalpa? Ora, façam-me o favor.
Caiena? Essa não. La Paz? De jeito nenhum.
Não, tinha de ser uma metrópole, grande metrópole.
Para lá eu viajaria, com meu trabalho pronto, e com
recursos gráficos: fotos da capela, fotos da imagem
da Virgem Maria. E, diante de um auditório lotado
— três mil pessoas seria o mínimo que eu esperaria
num evento desses —, eu, de pé numa tribuna,
usando um elegante terno, me dirigiria ao atento
público para anunciar a apresentação de um caso
de delírio místico. Na introdução, invocaria
o trabalho de pesquisadores com nomes ressonantes:
Wunderlich (não sei se existe), Prux (nunca ouvi
falar), Ky (um oriental sempre pega bem, mostra
que não há preconceito), Aldrovandi (alguém sabe
quem é?), Rasmussen (Rasmussen, esta é boa;

Rasmussen, vejam só), Souza (na verdade,
é o mecânico que arruma meu carro, e que tem
muito trabalho, pois dirijo uma lata-velha,
caindo aos pedaços). Eu faria considerações
variadas, inteligentes, abrangentes, inspiradoras,
reveladoras, surpreendentes, irônicas, sibilinas.
Minhas considerações, porém, não seriam:
1) ociosas; 2) redundantes; 3) dogmáticas ou
4) controversas. Bem, um pouco controversas,
sim. Um potencial de controvérsia da ordem de,
digamos, vinte por cento sempre dá charme
à produção científica. Mas, apesar disso, eu me
mostraria modesto. Infelizmente, eu diria, não tenho
o enciclopédico conhecimento de um Calcinotto;
infelizmente, continuaria, falta-me o brilhantismo
de um Dolan. Infelizmente, prosseguiria, já com
a voz trêmula de emoção, não consegui jamais
chegar à lendária objetividade que caracterizou
a admirável trajetória de um Morales, tão
precocemente interrompida. Morales! Morales, que,
em nome da síntese, nunca escrevia artigos de mais
de uma página! Morales, que tinha na contenção
a sua palavra de ordem! Morales, que se divorciou

*da mulher porque não recebia dela a crítica
implacável que esperava de uma esposa, de uma
autêntica companheira! Morales! Contido não
sou, eu admitiria, nem brilhante, nem objetivo;
mas também não pretendo nada. Não quero
o prêmio Silvain, instituído pelo famoso empresário
e anualmente atribuído ao melhor trabalho na área
de doença mental, com ênfase para a patologia
delirante. Tendo feito essa confissão, eu reagiria,
contudo, contra qualquer incipiente desânimo
que porventura me ameaçasse; reconheço minhas
limitações, eu bradaria, mas elas não serão
obstáculo a esta exposição. E após uma pausa
dramática, bastante dramática, tremendamente
dramática, eu gritaria: sim, colegas, eu posso!
Sim, cientistas, eu posso! Sim, críticos de qualquer
espécie, eu posso, eu posso, eu posso, e vou
apresentar o meu caso! E, deixando de lado
a papelada, eu me dirigiria a um imaginário
participante do congresso, daqueles participantes
de congresso que, autocratas consumados, seres
humanos frustrados (seres humanos que não comem
bem, que não bebem bem, que não fodem bem),*

murmuram, ao ouvir tais anúncios: ora, um caso,
o que é um caso, um caso não significa nada, um caso
é uma gota no oceano, um grão de areia na praia,
um átomo no universo, uma minúscula partícula
de poeira no grande olho de Deus. A esse cético
participante, a esse homem, ou mulher, de pouca fé,
eu dirigiria uma mensagem pessoal, sintetizada
numa única frase: meu caso, eu afirmaria, fala por
si; meu caso é didático, é paradigmático; meu caso
resume em si toda a patologia mental, todo o drama
da condição humana. Portanto, eu finalizaria,
triunfante, farei minha apresentação: ladrem
os cães, a caravana passará. Descreveria o caso,
e quando terminasse, interromperia — com um
gesto enérgico, mas não agressivo — a torrente
de aplausos para anunciar que, em complemento
à mensagem científica, faria um pronunciamento.
Um pronunciamento político. Um pronunciamento
corajoso, que poderia me custar caro. E então falaria
sobre a situação do meu país, e sobre a censura,
e sobre as perseguições e terminaria com uma vibrante
saudação à democracia. As repercussões seriam
fantásticas: manchetes nos jornais de todo o mundo.

*Não, não apresentei caso algum, não fiz
pronunciamento algum, não mandei à Lucrécia
carta alguma. Resolvi esquecer. Naquela época,
quanto menos se sabia, melhor. Se não sabíamos
de nada, se não nos interessávamos por nada,
poderíamos até viver em relativa calma. Talvez
acordássemos no meio da noite pensando em certo
oculto microfone. Talvez isso nos desse até insônia.
Mas de insônia, convenhamos, ninguém está livre.
E não é nada de sério, nada que não possa ser
remediado com uma dose adequada de soporífero.
Disso dá testemunho a Suzana. Ela agora
é minha paciente. De vez em quando me procura,
queixando-se de que não pode conciliar o sono.
Com o medicamento que lhe receito, dorme como
um anjinho. Pelo menos é o que diz. Não sei.
Há muitos anos não a vejo a meu lado, na cama,
quando acordo. E também não a vejo diante
de mim, olhando-me de maneira estranha, ou de
qualquer outra maneira.*

*Às vezes, terminada a consulta, pergunto-lhe
o que, afinal, aconteceu na madrugada do primeiro
dia de 1964. Ela não lembra; na verdade nem sabe*

se aconteceu alguma coisa. Às vezes sonha com isso, com aquela festa, que, segundo ela, mudou tudo. Do sonho, porém, não se recorda; a sua memória a respeito é como um espesso, pesado nevoeiro.

O que deve ser apenas um efeito do remédio que toma para dormir.

1ª edição [2004] 1 reimpressão

Esta obra foi composta por Raul Loureiro
em Fournier e impressa pela Gráfica Bartira,
em papel pólen bold da Companhia Suzano
para a Editora Schwarcz em abril de 2004